殺すな
殺されるな

京都・北野白梅町駅前
「無言宣伝」10周年

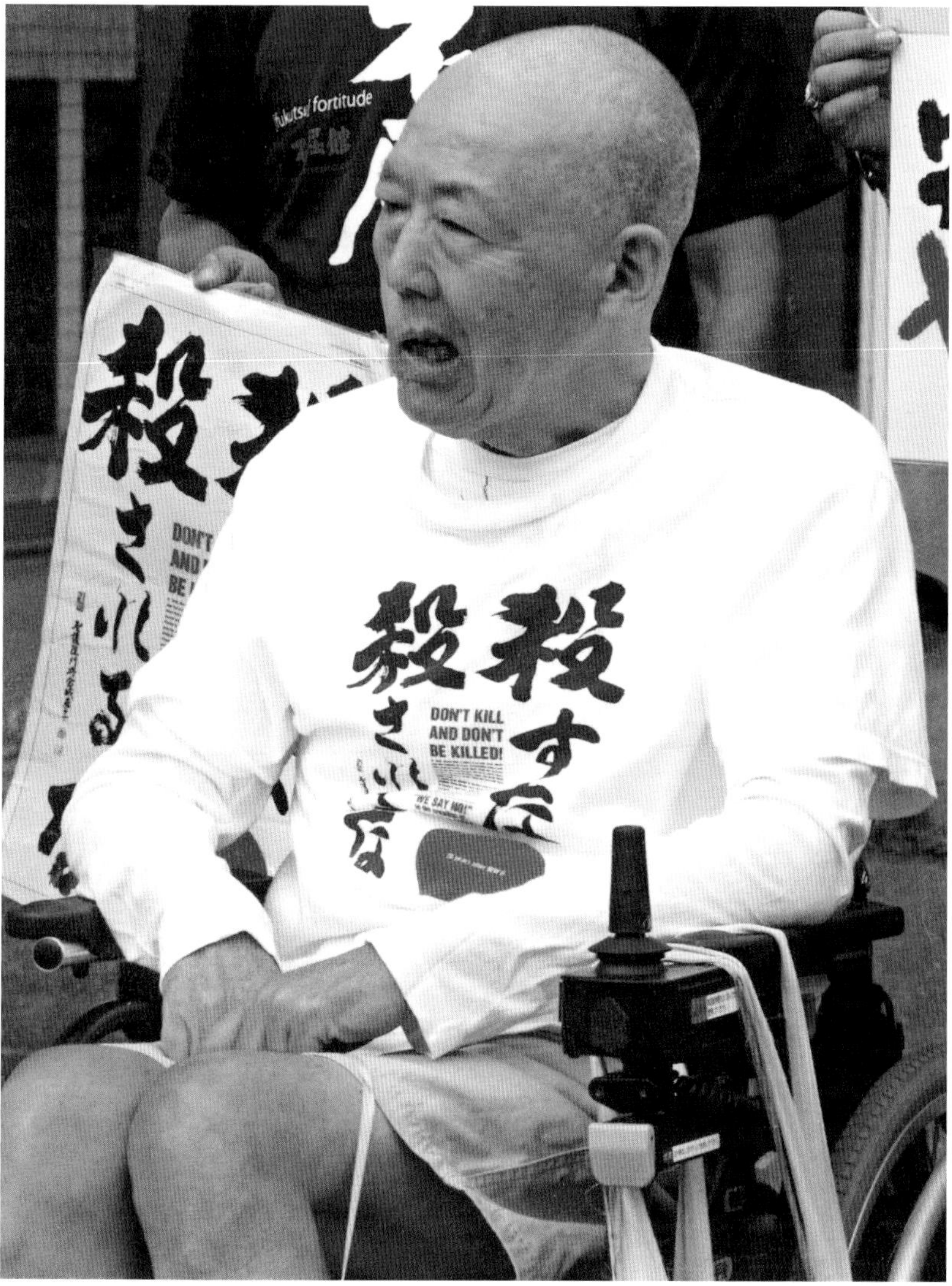

「無言宣伝」中の井上吉郎

『「無言宣伝」10周年』の発刊にあたって

今も仲間のみなさんとともに

池添　素

遺言

２０２２年の夏、体調を崩して入院中の中央病院から電話がかかってきた。コロナ禍で面会はできず、コミュニケーション手段は携帯電話のみ。しかし言語障害がある井上からの用件の聞き取りにくさは半端ない。必死で聞き取ったメッセージ「10年の記念誌第１部には小森陽一、窪島誠一郎、駒込武の三人の方にメッセージを頼め」というもの。ベッドでずっと考え、思うように動けないもどかしさは想像を超えたであろう。ひょっとしたらと最悪のことを考えての私への遺言だったことは後で気づいた。その時書いたメモは今でも机に置いている。しかし、聞いただけですぐには動かなかった。きっと退院して三人への依頼文など書いてくれるものだと勝手に思っていた。しかし、そこから病状悪化は厳しく、それでもそんなに早く人生を終えるとは思っていなかった。世界の情勢はウクライナへのロシアの侵攻が始まり、日本でも許せないことが山盛りで、『死んでる暇なし』だったからだ。

怒りを行動に

思い返せば、２０１３年11月から始めた月曜日の朝の一人抗議行動のぶら下げたプラカードのメッセージは「アカン秘密保護法」から始まった。とんでもない法律に怒っている井上に「一人でもできることがあるのでは」と投げかけた私のことばがきっかけで思いついた行動。それからは入院以外すべての月曜日の朝は白梅町嵐電前に車イスで出かけ、いつからか『無言宣伝』の名がついた。一人で準備をする井上の日曜日の夜は胸にぶら下げるプラカード作り。毎週違うメッセージを考え、マヒのある右手でリハビリを兼ねて書く。月曜日の朝は5時ごろから起き、早めにシャワーを浴び、食事をし、途中でトイレに行かなくてもよいように準備は周到。冬はたくさんのホカロンを全身に貼り、夏は「すげがさ」を買ってほしいと頼まれた。クリスマスにはサンタの帽子を外出支援でヘルパーさんと一緒に〝百均〟で買ってきた。いつも無言宣伝の演出を考えていた9年間。初めは一人で考えていたが、一人から二人とだんだんに増え、今では出入り自由の大所帯になった無言宣伝仲間と一緒にどんどん発想は広がっていた。その様子は本文の中に記録されている。

継続は力

7時20分ごろに出かけ、9時過ぎに戻ってくる。途中で私が写真を撮りに行き井上メールに送る。帰宅してからもうひと仕事。送られた写真とそれに添える前日に書き取った朝日新聞の「歌壇・俳壇」からの首句とその日の様子などをマヒのない左手の人差し指一本でキーボードをたたく。毎日更新しているWEBマガジン福祉広場とフェイスブックにアップする仕事が残っている。それをすべてやり終えて、井上吉郎の月曜日は始まる。

2022年の8月1日が最後の無言宣伝となり、その後第二日赤病院に入院。8月18日77歳の誕生日に会わせてもらった。その時は意識があり、私の話を聞いてくれた。そして願っていた中央病院への転院間近を伝えた。8月20日土曜日の深夜に病院から電話があり、危険な状況が伝えられ、すぐに病院に向かったがもう意識がなかった。

8月21日は井上が70歳の誕生日から始めた「松元ヒロライブ」の日。朝9時ごろ「今日はヒロさんが来る日、そろそろ準備始めないと」と語りかけたあと、呼吸が止まり、9時38分生命体としての人生を締めくくった。そしてもう準備が始まっていた福祉広場の自宅に戻ってきた。そしてライブが始まりその一部始終を誰にも知られずに、二階で皆さんと一緒の時を過ごすことができた。これ以上ないタイミングで主催者としての責任を果たし、確実に仲間の皆さんと一緒にいた。ベートーヴェンの田園とビールでたくさんの方とお別れしたが、無言宣伝は続いている。そしてそこに井上吉郎はいつもいる。

政治が腐敗し、戦争への準備が進み、暮らしが脅かされている今、平和への願いが切実になっている。井上吉郎ならどんなメッセージを胸に掲げるのだろうかと考えたとき、これしかないと。ニューヨークタイムズ2015年5月2・3日合併号に広告掲載した『殺すな　殺されるな（DON'T KILL AND DON'T BE KILLED!）』は今、最も求められている。

《目　次》

「無言宣伝」参加者からの声

揮毫＝「殺すな殺されるな」　聖護院門跡　宮城泰年
イラスト＝藤本忠正
口絵写真＝原哲夫　本文写真＝出渕とき子・山本道子

井上吉郎さんと「無言宣伝」によせて

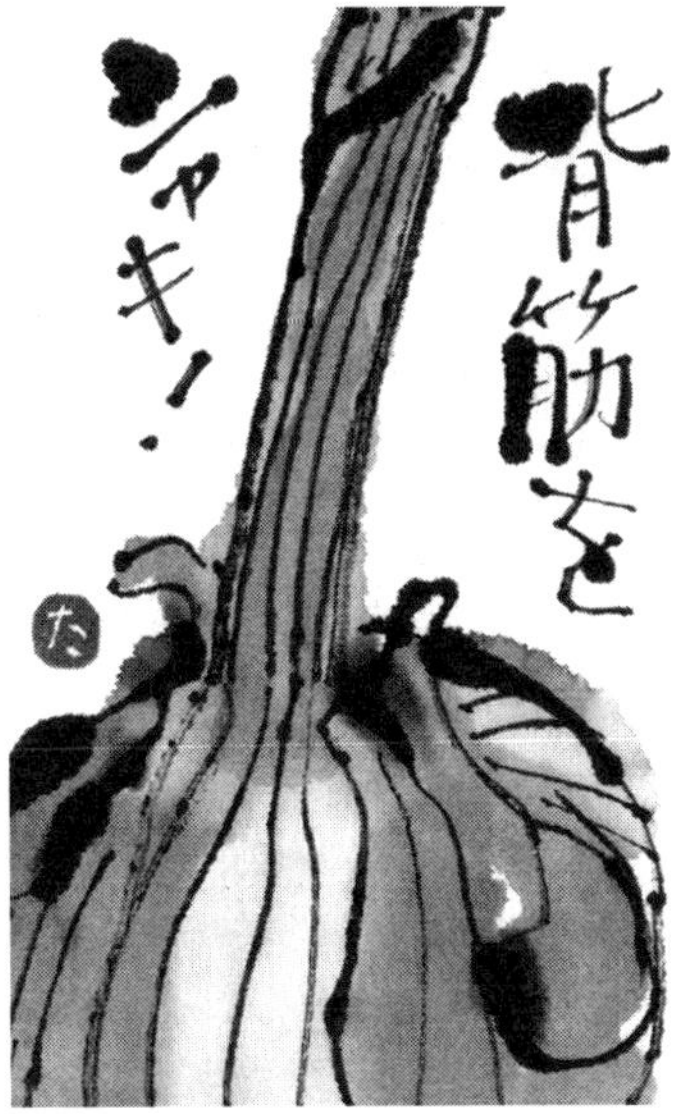

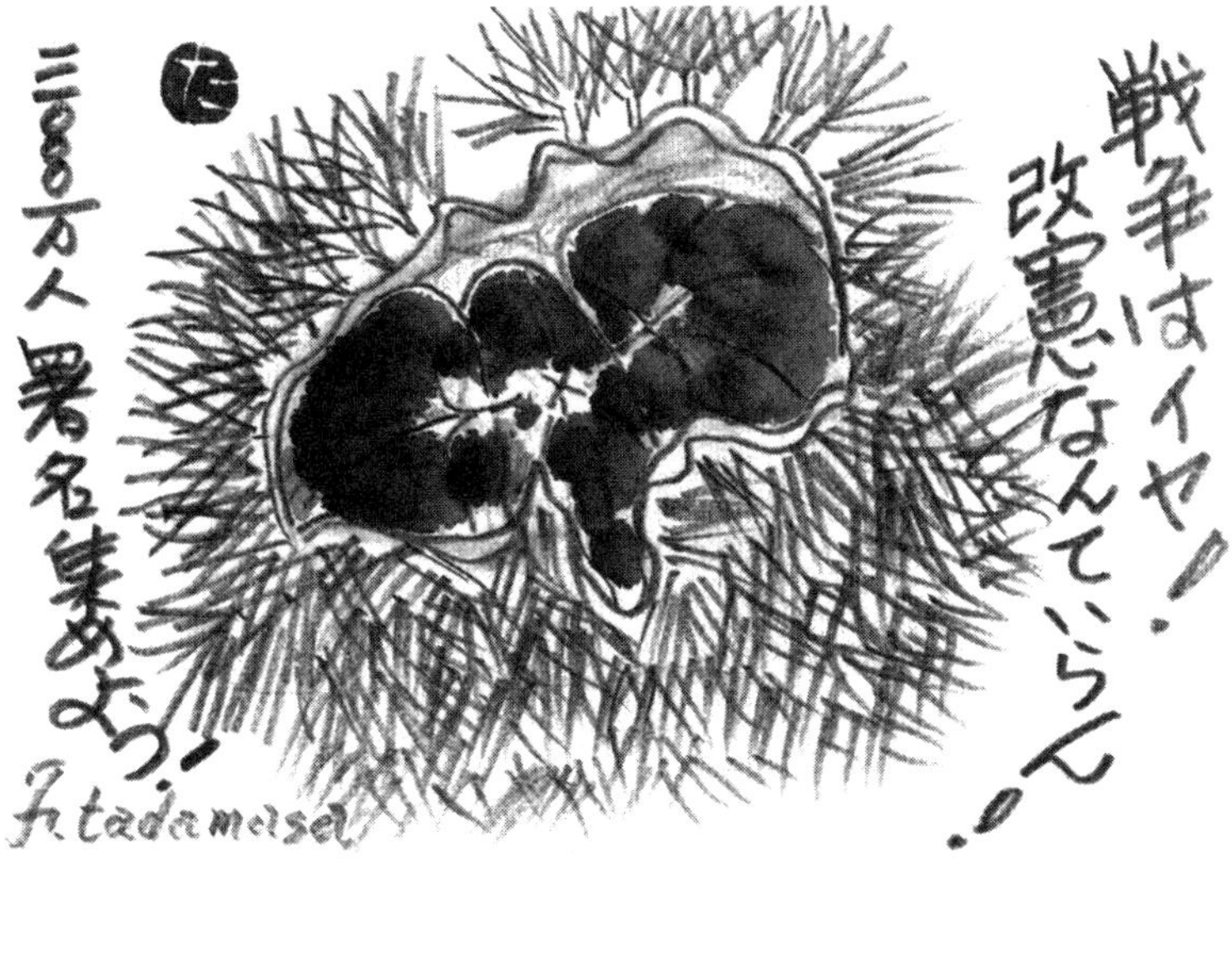

手書きポスターでの平和活動家

――京都・北野白梅町駅頭の井上吉郎さん

小森　陽一（「九条の会」事務局長）

「特定秘密保護法」（「特定秘密の保護に関する法律」）が施行された２０１４年12月10日の夕方、京都の龍谷大学響都ホールで私は、「戦後70年、どう向き合うのか？　殺すな！殺されるな！」という演題で講演をさせていただいた。主催は「異議あり！『戦争する国』づくり意見広告運動キックオフ集会実行委員会」。この場で井上吉郎さんと初めてお会いしたのである。

「特定秘密保護法」とは、国の安全保障に深くかかわる「秘匿することが重要」な情報だと、防衛大臣や内閣官房長官が判断した軍事に関する「特定秘密」について、公務員などがそれを漏らした場合、最高で10年の懲役を科す（それまでは1年）という戦争法である。

衆議院で審議入りしたのが２０１３年11月7日。その11月末から、井上吉郎さんは京福電気鉄道北野白梅町駅で「異議あり！秘密保護法」と書いた紙を手に持ち、池添素さんの付き添いのもとで、宣伝活動を始める。翌日は「首から」スローガンを書いた「紙をぶら下げ」る。そのほうが少し楽だからだ。この日のことを、吉郎さんは次のように書いている。

目の前を通る軽自動車、乗用車、トラック、バスなど数百台。大型バスは金閣寺に行くのだろう。自転車も数百台、多くは立命館大学をめざす。「僕は反対です」など声をかけてくださる大学学部長、「目サイン」を送ってくださる人が何人も……。行きかう歩行者は千人単位。拡声器を使えず（言語障害がある）、チラシを撒けず（右手が不随意運動をする）、ひたすら座って訴えるしかないが、「石破さん、静かなものですよ」、それでも多くの人に思いを伝えられた。冬だから、冷えた。

この日は「雲ひとつない晴れあがった空」であったのだが、その後の毎週月曜日（ただ元旦などの特別な日には、月曜ではない日にも）京福電鉄北野白梅町駅で、車椅子の吉郎さんは、雨の日も風の日も、そして台風の中でも「白梅町無言宣伝」を続けていく。私が講演にうかがった日の日誌で「無言宣伝」の現場を確認してみよう。この行動を始めてほぼ一年が経過している。

〈12月10日〉（11：45）２０１４年12月10日、特定秘密保護法が施行された。〝施行ダメよ～ダメダメ〟と自書したものを首からぶら下げて、京都北野白梅町で「特別無言抗議宣伝」、寒くはない。（11：50）写真家登場。僕を被写体にして写真を撮るらしい。（12：00）先日から気付いていたことだが、杖などの補装具を持つ人多数。（12：15）流行語を使っているからか、読んだりチラ見の人多い。（12：35）女性、会釈。（12：45）写真家、護憲派としての天皇皇后論。（12：50）しゃべれたらナ〜、チラシを撒けたらナ〜！（13：00）終了。最後までひとり。

この日は定例の月曜日ではないので「特別無言抗議宣伝」なのだ。一年以上、毎週月曜日の行動を続けてきたからこその「特別」であると同時に、国会で審議入りした「特定秘密保護法」に反対して始めた「無言抗議宣伝」だったにもかかわらず、国会で可決され、「施行された」日であるからこその「特別」なのである。

引用させていただいた井上吉郎さんの文章は「毎回の『無言宣伝』が終わると、フェイスブックにその様子を綴った」日誌からの引用である。一年以上離れているのに、驚くべきことに文を起こすこと結ぶこととの応答関係が成立しているのである。この記録を起こす引用部の始まりのところで、「軽自動車」と「乗用車」を分別しているということは、しっかりと一台一台のナンバープレートの違いを見ているから可能になるのだ。そして分別しながら台数を数えている。

種類の異なる車両を数えながら「自転車」から歩行者へ。「立命館大学」の「大学学部教授」が「声をかけてくださる」ということは、それだけで吉郎さんが、この地域でどのような存在なのかを語らずして読者へ伝える。文学用語で言うと、見事な文脈（コンテクスト）喚起力が発揮されているのである。そして障害を持つ者であるために、「拡声器」を使った宣伝活動の基本である演説や訴えも出来ず、紙媒体の宣伝物の配布も不可能なのである。その一年の間、毎週繰り返された口惜しさが、〈12月10日〉の「特別無言抗議宣伝」の「最後」の10分の「しゃべれたらナ〜、チラシを撒けたらナ〜！」に接続するのである。「！」という記号にこめられた著者井上吉郎の思いの強さと重さが確実に読者に伝わってくる。

この「無言宣伝」誌ならではの新しい日本語ではないかと、日本近代文学研究者として半世紀以上生きてきた私が心をゆさぶられたのは「（12：15）」の叙述に出て来る「チラ見」という井上吉郎語である。もちろん「チラッと見る」の略語であることは誰にでもわかるようになってはいるのだが、この言葉は吉郎さんの一年以上にわたる毎週の活動の中で実感されたに違いない微妙な井上吉郎語だと私は判断している。

「チラ見」という井上吉郎語の初出は、私の還暦の誕生日の二日前の２０１３年5月12日。「ニッコリ」合図をくださる方、会釈、笑顔、チラ見、振り返り多数。（車イス目サイン会釈秘密法、通る人施行反対秘密法）。

井上吉郎さんとは、あらゆる意味での言語活動の同志だと、私は確信している

井上さんの駅前「無言」運動

窪島誠一郎（「無言館」館主・作家）

京都衣笠の立命館大学にある「国際平和ミュージアム」には、筆者が信州上田市の郊外で営む戦没画学生慰霊美術館「無言館」の京都分館「いのちの画室《アトリエ》」という施設がある。年に何どかは京都駅から市バスに乗ってそこへ通っているのだが、途中にあるのが故井上吉郎さんが生前、車椅子に乗って辻立ちならぬ辻坐り、「無言宣伝」をされていた嵐電の北野白梅町駅である。京都駅方面から立命館大学方面に交差点を右折するとき、否応なく乗客の眼に入るのが正面にある小洒落た白梅町駅の白い駅舎なのだが、不運にして筆者はこれまで井上さんが約十年余りにわたって続けられてきた「無言宣伝」する姿を一どもお見受けしたことはない。その忍耐強い、いわば執念ともいえる「個」としての活動の記録を教えられたのは、すべて井上さんが亡くなられたあと、運動のパートナーでもあった池添（井上）素《もと》夫人から送られてきた『無言宣伝』『人生の伴走者』という二冊の書籍を読んで知ったことである。

病を得て会話不能の障がい者となった井上さんは、第二次安倍内閣によって二〇一三年に秘密保護法が強行可決されたときに、「このまま座視しているわけにはゆかない」と一人で白梅町駅前の街頭に「秘密保護法を撤回せよ」というプラカードを掲げて車椅子に乗って通い、それからは入院しているとき以外の月曜日の朝八時から一時間、毎週毎週文字通り孤高の抗議をつづけてこられたのだという。素夫人のお手紙には「井上が亡くなってからも、月曜の朝になると十人ぐらいの仲間が毎週そこに集ってその意思を無言でアピールしています」と書かれてある。つまり井上さんが命尽きたあとも、井上さんが白梅町駅前ターミナルにのこした反骨精神の残影は、今も同じ場所に立つ同志たちによって受け継がれているということなのだろう。

井上さんのそうした孤独で強靭な無言の営みが、今現在も北野白梅町駅前において永々と受け継がれている大きな要因の一つには、井上さんが自らの活動を、主にフェイスブックというツールによって多くの人々に発信しつづけたことがあげられる。約一時間の車椅子「無言宣伝」を終えたあと、井上さんは休むことなく、その日のターミナル周辺の様子、プラカードを観た人々の手応え、目撃した出来ゴト、当日の天候やニュースなどをフェイスブックにアップした。その結果、「無言宣伝」は「有言宣伝」となって空をとぶことになる。

宣伝スローガンも、しだいに「特定秘密保護法反対」だけでなく、内閣の強権政治がエスカレートするにしたがい「死の商人国家になるな」「集団的自衛権は集団的侵略権に他ならない」「沖縄オナガ知事よがんばれ」「オスプレイ飛ぶな」「壊憲を許すな」等々、その翼をひろげてゆく。

僭越ながら、井上さんが出された「無言宣伝―京都・北野白梅町駅頭　月曜日のアサ」という本のなかには、ご自身にとつての「無言宣伝」のもつ意味、理念を語るにあたって、筆者が営む私設美術館「無言館」についてもふれてくださっている。

確かに無言宣伝という「戦術」には僕の「障害」が影響している。だけれど、無言宣伝は、ある種の「確信」に貫かれた運動であることもまた事実である。

そのひとつは「無言」にかかわる。信州にある「無言館」には戦没画学生の作品が展示されている。戦没画学生の作品は「無言」ではあるけれど、「無念死」を語る。それを鑑賞する人も「無言」で作品に向き合う。鑑賞者は「無言」で向き合うことで、「作品」と「作者」と「対話」している。「無言」なるがゆえに、対話が成り立つ。《無言とは圧倒的な主張かな無言の遺作無言の遺品（吉井信「朝日歌壇」、永田和宏選評…もう何も主張できない者たちの圧倒的な声に向き合っている》

正直、「無言館」の主《あるじ》としては、何とも恥しく照れ臭く、この井上さんの真ッ正直すぎるともいえる「無言」の解釈には、多少異を唱えたい気持ちもあるのだが、それより何より井上さんの「無言」に対する思い入れの強さというか、自らが決行している「無言宣伝」という行為の底にある熱い信条が胸をうってくる。筆者の美術館「無言館」にならぶ戦没画学生たちの遺作一つ一つがもつ「有言性」は、現在自分がやっている「無言宣伝」にも共通する「無言の力」なのだと井上さんは確信されているのである。

井上さんはつづけてこうも語られている。

第2は、もの事は一人から始まるという事実だ。ことに気づいた人がいてこそ、「歴史」は創られるし、「社会」は動く。《一人で歴史は作れない。と同時に、その一人がいたから歴史が始まって進んだこともある。ひとり、一人、ヒトリの力。人間一人の存在、その力を軽蔑する者は、自分の人生の岐路で自分に裏切られる（むのたけじ「99歳一日一言」）》

第3は、第2にも関わるが、一人の行動がなければ、「ゼロ」になってしまうということだ。「悪」に対する「異議」があることを示すためにも「声」と「行動」が必要だ。

（略）

第4は、この章のタイトルとも関わるが、「微力かもしれないが、無力ではない」思想だ。事の大きさに僕らはたじろぐ。「こんな事をやっても意味がない」と考え、行動する人を冷笑する。たしかに「意味」はないかもしれない。南アメリカ先住民に伝わる寓話に「ハチドリのひとしずく」の話がある。

森が燃えていました
森の生きものたちは
われ先にと
逃げて
いきました

でもクリキンディ
という名の
ハチドリだけは
いったりきたり
くちばしで水のしずくを一滴ずつ運んでは
火の上に落としていきます

動物たちがそれを見て
「そんなことをして
いったい何になるんだ」
といって笑います

クリキンディは
こう答えました
「私は、私にできることをしているだけ」

（「ハチドリのひとしずく　いま、私にできること」辻信一／監修）

ここで井上さんは、自らも一羽のハチドリとなって、燃えあがる「悪政」「強権」の炎に立ちむかい、くちばしで水のしずくを一滴ずつ運ぶ営みに徹したいと宣言（宣伝ではない）しているのである。毎週月曜日の朝に、あの北野白梅町駅前のロータリーで車椅子に乗り、プラカードを掲げていたのは、クリキンディという力弱き、しかし強固な意志と覚悟をもった一匹のハチドリだったのだと言っているのである。

すなわち、ここに筆者から多少の補足を入れさせてもらうとすれば、井上さんのいう「無言」とは、けっして「沈黙」ではないということだ。「無言」と「沈黙」は違う。井上さんが一羽のハチドリとなって運ぶ一滴の水は「無言」という確固たる行動であり、それを見て「そんなことをしていったい何になるんだ」と笑っていた動物たちは、燃えあがる炎に対して「沈黙」していたのと同じなのである。井上吉郎という言葉を喪った一人の「障がい者」が放つ「無言」という発言は、同時に、言葉を持ちながら「沈黙」する健常者（?）への井上さんなりのアンチテーゼというか、「君たちよ立ちあがりたまへ」という警告でもあったのではなかろうか。

たしかに日常の自分自身をふりかえるとき、いかに自分が政治や社会の動向に対して鈍感となり、無意識的にあきらめ投げだし、自身の主張や意見をのみこみ、結果として「沈黙」の民となっているということに気づかされてゾッとする。

そう、井上さんの約四年間の北野白梅町駅前ロータリーにおける「無言宣伝」は、他者にむけて発せられる「無言宣伝」であると同時に、井上吉郎その人自身の「生き方」に対する「無言」――いかに自身の心の内部にある政治や社会への憤懣や疑問を反芻し、自問し、確認しつづける営みであったかをもしめしているのだ。車格子に一人乗りプラカードを掲げつづける「無言宣伝」は、駅前を通る人々にむかって行なわれていただけでなく、病と闘い、その苦痛や無念や絶望と日々むかいあう井上さん自身への鼓舞であり、励ましであり、余命を奮い立たせる唯一無二の手段であったろうことが手にとれてわかる気がするのである。

かくいう筆者も井上さん同様、クモ膜下出血の後遺症、がん、心臓動脈瘤等々いくつもの病をかかえながら、幸運にも八十一歳まで生きのびた幸せ者の一人なのだが、それだけに井上さんの長きにわたる「無言宣伝」が、そうした自問自答の上に成り立っていた孤独な営みであり、それが自らを「生きさせる希望」にもなっていたことを忘れてはならないと思う。

井上吉郎さんの七冊めのブックレットにあたる『人生の伴走者』は、二〇二二年八月二十一日に七十七歳で死去した井上さん最後の本で、井上さんご自身はこの本の刊行を待たずに旅立たれたそうなのだが、死の直前まで二〇〇六年八月に発症した脳幹梗塞による右半身まひ、嚥下障害、言語障害と組んずほぐれずの格闘をつづけ、しかし急激な視力の低下のなかにあっても、毎日左手人差し指一本でのブログ発信を欠かさず、その日読んだ本の書評もされていたと素夫人が同書の「あとがき」に記されている。

私が七冊目の校正グラを読み終えた時、「なぜ出版するのか?」と問うと、即答で「生きている証」と返ってきました。

さっきもいったが、筆者も数日後に十三回めのがん転移検査、心臓動脈瘤の検査をひかえる多病の身である。つくづく自分もまた井上吉郎さんのように、「生きる証」といいきれる何ものかを残して死んでゆけたらと希《ねが》っているのである。

存在証明としての「政治」

駒込　武（京都大学教授）

井上吉郎さんの著された七冊目のブックレットの表題は、『人生の伴走者』（ウインかもがわ、二〇二二年）である。その「あとがきによせて」の中で、パートナーの池添素さんは次のように書かれている。

「私が七冊目の校正ゲラを読み終えた時、『なぜ出版するの？』と問うと、即答で『生きてる証』と返ってきました。まさに井上吉郎が出会った人生の伴走者を書き遺すことで、生きることに大切なことは何かを問うてきたのだと思います」（『人生の伴走者』六二頁）

ブックレットの冒頭では、井上さんご自身が、生きるためにぜひとも必要な「人生の伴走者」として「読書」「戦争への怒り」「音楽」「地域を知ること」などを挙げている。これらは空気や水と同じくらい大切であり、必要なものだという。

具体的にどのようなことを指しているのか。「読書」については、沖縄戦後史にかかわる書物の読後感が記されている。『人生の伴走者』に収録されたものだけで、その冊数は二三冊にものぼる。「戦争への怒り」は、北野白梅町駅頭での「無言宣伝」として表明されてきた。井上さんは、二〇〇六年に脳幹梗塞で倒れて以来、チラシを撒くことも、拡声器で語ることもできなくなる中で、「殺すな！殺されるな！」「戦争法は廃止　野党は共同」というようなゼッケンを掲げて、無言で車椅子に座り続けてこられたという。「音楽」としては、一九六〇年に右翼青年に刺殺された浅沼稲次郎（日本社会党委員長）の葬儀でベートーヴェンの交響曲「田園」が流されるのをラジオで聞いて以来、「人生の曲」になったと書かれている。「地域を知ること」については、敗戦直後に京都府立植物園が米軍の駐屯地として使用された時の想い出や、Trico lore（トリコロール）という喫茶店の看板から「そこに居るだけで緊張が解ける空間」に思いをはせた記憶などが記されている。

「読書」「戦争への怒り」「音楽」「地域を知ること」は、自分にとっても大切な「人生の伴走者」である。ただし、自分は「伴走者」を大切にしているだろうか？　その存在を軽く見てはいないだろうか？　井上さんの文章を読みながら、そのように自問させられた。

たとえば、「読書」。病に倒れて視力が低下しても、左手の人差し指一本で読後感を記したいと思うような本が、はたして今のわたしにあるだろうか？　大学教員という職業なので、大量の本を研究室に備えてはいる。日常的に本を読んだり、書いたりしてもいる。それにもかかわらず（というよりは、それだからこそ）、大量の情報を処理するＡＩ（人工知能）のように「この本のこの部分は有益、あとは不要！」というように分類して一丁上がり、とする読み方をしてしまいがちである。専門にかかわる書籍をフォローすることに追われて、夢中で本を読むことも少なくなっている。そう考えはじめると、現在のわたしにとって「読書」は「人生の伴走者」といえるのか、はなはだ心もとない。

「読書」だけではない。地域社会という点では、身近なところに府立植物園もあるし、近所に借りている畑がわたしにとって「そこに居るだけで緊張が解ける空間」でもある。ただし、これらの一つ一つとしては何気なくも思える空間を、空気や水と同じくらい大切なもの、必要不可欠なものと感じているだろうか？

井上吉郎さんの文章を読んで気づかされたのは、自分自身のものの考え方や感じ方が、とても狭く考えられた「有用性」の中に閉ざされていることだ。

大学における研究・教育の現場にいると「歴史を学んでなんの役に立つのでしょうか？」とか、「役に立たない研究に税金を投入するのはムダではありませんか？」という問いに直面させられている。かつては鉛筆一本あれば研究できた時代も存在したのかもしれないが、今はそうではない。なにもかもが経済的基準で評価される新自由主義的な風潮のもとで、数値化された指標で研究や教育の「達成度」を測り、それに応じて予算を増減する試みが当たり前のように行われている。大学は企業に投資すると同時に企業の投資を引き寄せる「稼げる大学」への変貌を迫られている。自分自身はあえて「冷や飯」に甘んじる覚悟をつけたとしても、将来的な生活展望を持ちにくい大学院生が安心して研究に専念できるようにするためには、やはり予算やポストが必要となる。かくして、「この研究はこんな社会的インパクトを与えます」と研究の「有用性」をアピールする必要に駆られ、いつの間にか「読書」もその歯車の一つとなっていく…。

「読書」経験がこのように痩せ細ってしまったとしても、自分の場合、「音楽」に耳を傾けることは自由な楽しみであり続けている。マーラーの交響曲第九番の第四楽章、静かに息を引き取るように終わる音楽を聴くにつけて、人の死の瞬間とはこのようなものかと思わされる。疲れ切って息絶えた者に花を手向けるかのような、ベートーヴェンの弦楽四重奏曲第一六番の第三楽章を耳にしながら、自分の葬儀ではこの曲を流してほしい、と思ったりもする。本を読むことが職業的責務と結びついてしまいがちなのとは異なり、音楽を聴くことではかすかに自分自身という存在に近づけている。

だから、もしも「音楽が何の役に立つのですか?」と聞いてくる人がいたならば、黙ってクビを横に振りながら「あなたにとって大切な音楽はどんなものですか?　音楽ではなくて、美味しい食べ物でも、素敵な風景でもけっこうです」と答えることだろう。そうすることで、「役に立つ」という次元には回収できない大切なものが、どんな人の生活の中にもあることを思い出してもらおうとするだろう。あるいはもう一歩踏み込んで、「大切な方のお葬式を思い起こしてください。そのお葬式がなんの役に立つのかと聞かれたとしたら、的外れな質問とは感じられませんか?」と問い返してしまうかもしれない。

人それぞれに「人生の伴走者」がある。ただし、ともすればその大切さを見失いがちである。「それが何の役に立つのだ?」「目に見える『成果』『達成』がなければ無意味だ!」という呪いの言葉が社会の中にこだまし、どんどんと大きくなっている。「人生の伴走者」を書き遺すことは自分の「生きている証」なのだという井上さんの言葉は、そうした呪いから自分を解き放ち、ふと我に立ち返らせてくれる。

見逃してはならないのは、井上吉郎さんにとっての「人生の伴走者」には「戦争への怒り」も含まれていることである。

「読書」にしても、「音楽」にしても、何かの「役に立つ」ということとは無関係に、それ自体を大切にしている人はきっと少なからずいることだろう。だが、「戦争への怒り」についてはどうだろうか？　それも大切なことだとは思ったとしても、あえてそのために時間を割くことにはためらいを感じる人が多いのではないか。まして「殺すな！殺されるな！」というゼッケンを掲げて街頭に立つくらいならば、自宅にこもって好きな本を読んだり音楽を聴いていたりした方がよい、そもそも戦争反対は「政治」にかかわる問題である以上、ひとりの人間にどうなるものでもない、そう感じる人が少なくないのではないかと思う。かくいう自分の中にもそうした感覚は根強くある。

ところが、井上さんにとって、「戦争への怒り」は「読書」や「音楽」と同様に「人生の伴走者」なのだ。それはどういうことなのだろうか？　しかも、井上さんにとって「戦争への怒り」を表現する方法は、マイクを握ることも、チラシを撒くこともできない状況で、自分の身体をつうじて通りすがりの人にアピールすることである。井上さんご自身の記すところによれば、中には好意的な声かけをしてくれる人もいるものの、多くの人はただ「変わった人が、自梅町で、車椅子に座ったはる」とだけ思って通り過ぎていくという（「無言宣伝」編『無言宣伝―京都・北野白梅町駅頭 月曜日のアサ』、ウインかもがわ、二〇一七年、一九頁）。自分にはとてもできないと感じる。

井上さんは、二〇一五年に安保法制をめぐる攻防が国会で繰り広げられた時には「戦争法は廃止野党は共同」というゼッケンを掲げて「無言宣伝」をしていたという。同じ時期、わたしも「自由と平和のための京大有志の会」の発起人として、あるいは京都における市民連合の呼びかけ人として、「戦争法は廃止！　野党は共闘！」という呼びかけに参加していた。

教員として教室の中で注目を集める立ち位置に馴れてしまっているせいもあるのだろう、マイクを持って話すことは苦痛ではないのだが、正直、チラシ撒きは苦痛だった。自分の勤める大学生協の前でチラシを撒いた時には、学生らしき若者たちは迷惑な物体をあからさまに避けて通っていった。今から思えば渡し方もいけなかったのだろうが、やるせないやら、腹立たしいやら、徒労感に打ちひしがれた。たくさんの人に無視された挙げ句にようやく三〇枚のチラシを渡すくらいならば、一度に三〇〇人、あるいは三〇〇〇人にメッセージを伝えられる、もっと「効率的」な手法があるはずだとつい考えてしまった。

ところが、同じチラシ撒きでも、そのワザに練達した人たちは無視されてもめげずに渡し続け、「今日は受け取ってくれた人が、昨日よりもちょっと多かったよね」というように、うれしそうに語り合ったりしている。自分との大きな違いは、避けるようにして通り過ぎている人たちの表情をよく観察し、その観察を楽しんですらいることである。政治的な問題になると、ともすれば自分の声を他者に聴いてもらう、他者を説得することばかりを重視しがちである。だが、まず何よりも大切なことは、「他者の声」――それは必ずしも言葉として表現されるとはかぎらない――を受けとめることなのだろう。そのことにあらためて気づかせてくれたのも、井上吉郎さんの文章である。

信州にある「無言館」には戦没画学生の作品が展示されている。戦没画学生の作品は「無言」ではあるけれど、「無念死」を語る。それを鑑賞する人も「無言」で作品に向き合う。鑑賞者は「無言」で向き合うことで、「作品」と「作者」と「対話」している。無言なるがゆえに、対話が成り立つ。
(『無言宣伝』二二頁)

まだ無言館を訪れたことはないものの、NHKの番組で戦没学生たちの遺した絵画や彫刻を背景として無言館で「祈り」と題する演奏会が行われるのを見たことがある。

絵画にも、音楽にも、言葉はない。そこで「対話」が成りたつためには、ありったけの想像力をふり向ける必要がある。するとたしかに、そこから「自分はただ絵が描きたいだけなんだ」という言葉を遺して戦場に行った学生たちの無念の思いがわき上がってくるように感じられる。死者と生者とを問わず、他者の声を注意深く受けとめ、それをさらに自分なりの表現で別の他者へと伝えていくこと…。井上さんにとって「戦争への怒り」が「読書」や「音楽」と同様に「人生の伴走者」であるのは、他者の表現を深く受けとめながら、それを取り次いで今度は自分が表現する点において変わりはないためだろう。さらに、人を殺すことも、人に殺されることも望まない、ひとりの人間としての尊厳を守るための闘いこそが井上さんにとっての原点であり、だからこそ「戦争への怒り」を表明することは政治的行動であると同時に、「生きてる証」でもあり、自分の存在証明ともなるのだろう。

政治もまた存在証明の一部である以上は、そもそも運動の「成功」とか「達成」は二義的な問題となる。もちろん、たとえば戦争法の廃止というような形で運動の目標が「達成」できたら、その方がよいに決まってはいる。だが、それでもアプローチできた人数により運動の「達成度」を測れるわけではないし、測ろうとすべきでもない。「それが何の役に立つのだ?」「目に見える『成果』『達成』がなければ無意味だ！」という呪いの言葉は、存在証明としての「政治」の場では力を失う。問われるべきは、あくまでもひとりひとりの「覚悟」の深さであるからだ。この点で井上さんが引用しているむのたけじさんの言葉は印象的である。「一人で歴史は作れない。と同時に、その一人がいたから歴史が始まって進んだこともある。ひとり、一人、ヒトリの力。人間一人の存在、その力を軽蔑する者は、自分の人生の岐路で自分に裏切られる。」（むのたけじ『99歳一日一言』）。

わたしは、自分の記憶している限りでは井上吉郎さんとの直接的な面識はないし、東京生まれの東京育ちということもあって、井上さんが京都市長選に立候補された時（一九九二年、九六年、二〇〇〇年）のことも記憶にはない。ただ、井上さんはもともと存在証明としての「政治」を求めていたのではないか、二〇〇六年に大病されて以来、その思いが純化された形で表現されるようになったのではないかと推測している。常に自らの死を意識せざるをえないからこそ、「人生の伴走者」たるものごとひとつひとつの大切さを、それまで以上に深く感じ取られていたのではないだろうか。

井上さんの著書を読みながら、学生時代に見た『カオス・シチリア物語』（タヴィアーニ兄弟監督、一九八四年）という映画の中の印象的な台詞を思い起こした。一九世紀のシチリア島を舞台とした不思議で、もの悲しくもある四つのエピソードが連ねられたのち、最後にエピソードの原作者である劇作家ピランデッロが登場する。すると、そこに亡くなったはずのピランデッロの母が忽然と姿をあらわして次のように語る。

「もはや見ることのできなくなった者の眼で世界を見てごらんなさい、すべてが美しくみえるから」。

見ることのできなくなった者の眼で世界を見るというのは、ある種の矛盾をはらんだ表現である。「無言なるがゆえに、対話が成り立つ」という井上さんの言葉がそうであるように…。そのような矛盾をはらんだ形でしか表現できないような「現実」が確かに存在するのだと思う。「すべてが美しく見える」世界は蜃気楼のようなもので、捉えたと思った瞬間に消えてしまう。だが、その美しい世界のイメージを「人生の伴走者」として生きていくことにより、わたしたちはかろうじて呪いの言葉から自らを解き放ち、自己と他者の存在そのものの重みを感じ取ることができるようになるのではないだろうか…。そうした思いを胸に秘めながら、井上吉郎さんの遺してくれた文章との「無言の対話」をこれからも続けたいと思う。

「無言宣伝」10年　国内の動き

2013年

2013年11月末　井上吉郎、特定秘密保護法に抗議して北野白梅町駅頭で一人宣伝（無言宣伝）を始める。

11月26日　衆議院本会議、特定秘密保護法強行可決。

12月6日　参議院本会議可決。

12月27日　沖縄県仲井眞知事、米軍普天間基地で辺野古の埋め立て承認を発表

辺野古米軍基地建設　世界一危険といわれる普天間飛行場の代替施設として、名護市辺野古崎地区及びこれに隣接する水域を埋め立てて米軍に提供するとして計画されているもの。▷異常としかいえない過重な基地負担を抱える▷辺野古移設に反対する民意がある▷海と豊かな自然環境が破壊される▷普天間飛行場の一日も早い危険性の除去にはつながらない。

特定秘密保護法戦争法　漏えいすると国の安全保障に著しい支障を与えるとされる情報を「特定秘密」に指定し、それを取り扱う人を調査・管理し、それを外部に知らせたり、外部から知ろうとしたりする人などを処罰する。①何が「秘密」に指定されるのかの範囲があいまい②国民の「知る権利への配慮が不十分③秘密指定の半永続的な更新が可能④内部告発などがしにくくなる。2014年12月10日施行。

3月11日　東日本大震災から三年。避難生活者約26万7000人。

4月1日　消費税5%から8%へ増税。
安倍内閣、武器輸出三原則を撤廃し武器輸出推進の防衛装備移転三原則を閣議決定

5月20日　福井地裁、大飯原発3・4号機の運転差止を命じる判決。

7月1日　安倍政権集団的自衛権行使を容認する閣議決定を行う。

7月24日　国連自由権規約委員会、第6回日本政府報告書総括所見を発表。ヘイトスピーチ、慰安婦、特定秘密保護法などについて日本政府に勧告。

集団的自衛権　国際法上の集団的自衛権とは、「一国に対する武力攻撃について、その国から援助の要請があれば、自国が攻撃を受けていなくても共同して反撃に加わるための法的根拠」を意味する。日本の場合、この集団的自衛権を行使することは日本国憲法上、許されないとしてきたが、安倍政権はこれを閣議決定で容認。

8月29日　国連人権委員会、日本政府にヘイトスピーチ規制、慰安婦問題などについて「最終見解」・勧告書を公表。

11月16日　沖縄県知事選で翁長雄志氏が現職仲井真弘多氏に10万票の大差で圧勝。

12月10日　特定秘密保護法施行。

12月14日　第47回総選挙、自民、公明両党が公示前を上回る325議席を獲得。共産党は8議席から21議席へ躍進し議案提案権を獲得。

5月5日　北海道電力・泊3号機検査に入り42年ぶりに原発ゼロ。
6月17日　選挙権年齢18歳に引き下げる。
7月1日　大飯原発3号機が再起動、原発ゼロは二か月で終わる。
7月16日　戦争法（安全保障法制）案衆議院本会議で自公両党により強行採決。
8月4日〜9日　被爆70周年原水爆禁止世界大会、広島大会、長崎大会。
9月19日　戦争法（安全保障法制）参議院本会議で自公両党により強行採決、可決。
10月1日　沖縄に米新型輸送機オスプレイ配備。6日までに12機普天間基地へ。
10月19日　政府辺野古米軍基地建設の本体工事に着手。
12月16日　衆議院選挙、249議席獲得し自民党圧勝。民主党57議席で惨敗。

安全保障法制（戦争法）　集団的自衛権の行使を容認する法制であり、多数の憲法学者や日弁連、全国単位弁護士会や元内閣法制局長官そして元裁判官もこぞって違憲の声をあげた。国会に証人として呼ばれた憲法学者全員が違憲だと述べたことは特に有名。戦後日本の安全保障政策を大きく転換させた法制に、全国各地に反対の運動が広がり強行採決直前の国会前は国民の怒りの声で騒然とした。成立後も、違憲訴訟が全国で提起された世紀の悪法である。

2月19日　共産党・民主党・維新の会・社民党・生活の党の野党5党首国政選挙協力での合意、「安保法制の廃止と集団的自衛権行使容認の閣議決定撤回」、「安倍政権の打倒を目指す」など4項目を確認。

3月9日　大津地裁、関西電力高浜原発3・4号機の運転を差止める仮処分を決定。稼働中の原発に対し初めての差止め処分。

4月14日　熊本大地震最大震度7、熊本、大分中心に。

7月10日　第24回参議院選挙与党大勝、改憲勢力が衆参両院で3分の2を獲得。一人区32カ所で4党共闘、11選挙区で野党統一候補が当選。

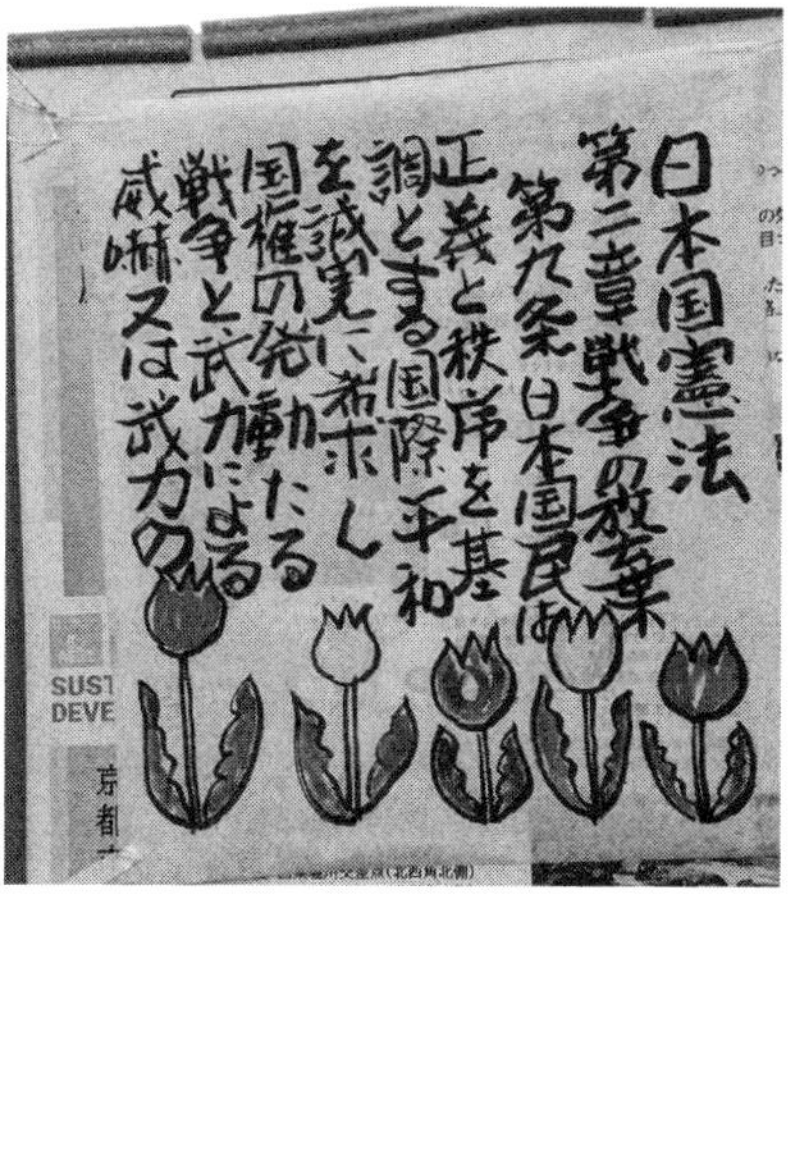

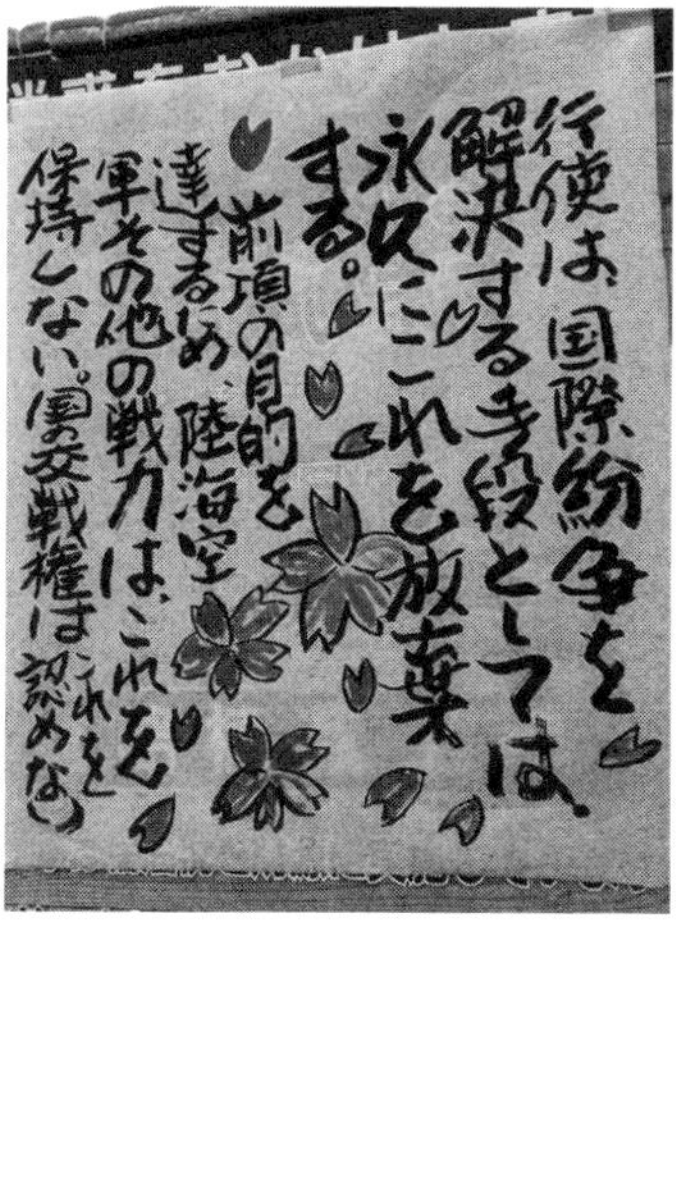

3月21日　政府、「共謀罪法案」（組織的犯罪処罰法改正案）を閣議決定。

6月15日　参議院本会議で強行採決

7月2日　東京都議会選挙、自民党が歴史的惨敗。59議席から23議席へ半減以下。第1党は都民ファーストの会。

11月6日　無言宣伝200回を迎える

共謀罪（テロ等準備罪）法　「組織的な犯罪の処罰法」の略称。2人以上が、犯罪を行うことを話し合って合意することを処罰対象とする。しかし、具体的な「行為」がないのに話し合っただけで処罰するというのが特徴で、加えて2017年の国会で、テロ対策に必要との口実で、共謀罪法の要件に「テロ等準備罪」を新設。判断は警察などの捜査機関に丸投げされ、市民運動、住民運動、労働運動など、主権者としての意見表明の活動まで監視の対象とされる。

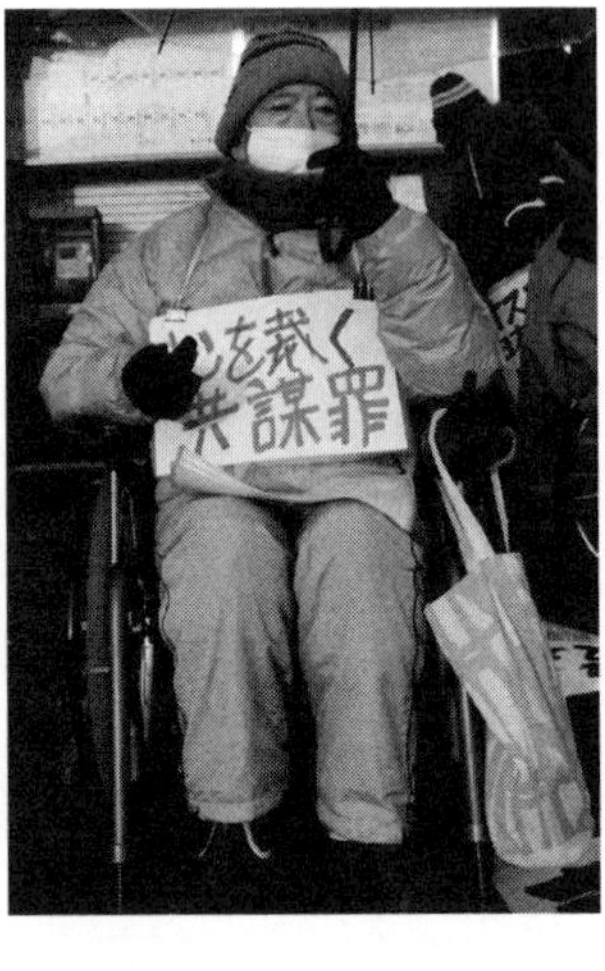

2018年

4月14日　森友、加計学園疑惑の真相究明、安倍内閣総辞職を求める行動、全国20か所以上で行われる。国会正門前の抗議行動にのべ5万人。

9月30日　沖縄知事選挙、米軍基地反対を主張する玉城デニー氏初当選。過去最多の39万6632票を獲得。

11月　無言宣伝5周年を迎える

12月14日　政府、沖縄県名護市辺野古沿岸部の埋め立て地区へ土砂投入を開始。

沖縄の米軍基地　沖縄県には、全国の米軍専用施設面積の約70%にのぼる広大な米軍基地が存在。そのため米軍人や軍属等による事件・事故の発生、また航空機等による騒音、水質・土壌汚染。さらには演習等による自然環境への影響など、県民に大きな不安・負担を強いている。

2019年

5月1日　皇太子徳仁（なるひと）天皇に即位、新元号「令和」に。

7月21日　参議院選挙全国32の1人区のうち10選挙区で野党統一候補が勝利。改憲勢力は三分の二議席を割る。

10月1日　消費税10％に増税開始。

10月31日　沖縄県那覇市、世界文化遺産・首里正殿ら7棟全焼。

2月27日　安倍首相新型コロナ・ウイルス感染症拡大をうけて全国小中高・特別支援学校に3月2日から春休みに入るまで臨時休校を要請。

4月7日　政府、東京都、神奈川、埼玉、千葉、大阪、兵庫、福岡7都道府県を対象に緊急事態宣言を発令。5月6日まで。

8月2日　原水爆禁止世界大会、国際会議、オンライン方式で開始。「被爆者と共に核兵器のない平和で公正な世界を人類と地球の未来のために」をテーマに8・6広島大会、8・9長崎大会、8・12福島大会。

9月4日　東京高裁、元建築労働者・家族・遺族64人が損害賠償を求めた8建設アスベスト・石綿裁判で国とメーカー3社に賠償命令、メーカー責任を初めて認める。（12月14日最高裁、国の責任認め判決確定）

9月16日　菅内閣発足

10月1日　菅内閣総理大臣、日本学術会議新会員として同会が推薦した105人候補者のうち6人を除外して任命。（日本学術会議人事介入事件）

11月1日　大阪都構想の是非を問う大阪市住民投票、前回の2015年に続き反対多数で否決。

3月30日　世界経済フォーラムが156カ国の男女格差を比較した報告書を発表。日本は120位で主要7カ国（G7）で最下位。

4月13日　政府、福島原発汚染水を海洋放出する方針を決定。

4月14日　原子力規制委員会が東京柏崎刈羽原発に運転禁止命令。

10月4日　菅内閣退陣。第一次岸田内閣誕生（11月10日）

東日本大震災　2011年3月11日、東北地方を中心に発生。12都道府県で2万2318人の死者、行方不明者を出した。これに伴って福島第一原子力発電所に重大な事故発生。チェルノブイリ原子力発電所事故（1986年4月）に次ぐ、最も深刻な原子力事故となった。

ウクライナ・ロシア戦争　2022年2月24日、ロシアプーチン政権がウクライナを相手に始めた戦争であり、正当な理由のない国際法違反の戦争である。NATO拡大という軍事的緊張を高めてきた米国やゼレンスキー政権の問題はありつつウクライナ住民のいのちや財産、平穏な暮らしを踏みにじる行為は非難されるべきである。

沖縄本土復帰50年　沖縄県が本土に復帰したのは1972年5月15日。2022年は、アメリカから施政権が返還され50年の節目だった。

5月15日　沖縄の日本復帰50年、記念式典。
7月8日　奈良で遊説中の安倍元首相が銃撃され死亡。
8月1日　井上吉郎、最後の無言宣伝となる
8月21日　井上吉郎逝去
9月11日　沖縄県知事選挙で「オール沖縄」が支える玉城デニー氏再選。
10月22日　中国共産党全国代表者会議で習近平氏を異例となる3期目の総書記に任命
12月1日　コロナに感染し国内で亡くなった人の累計が5万人を超える。
12月16日　政府、「安保3文書」を閣議決定。

安保 3 文書　岸田政権が 2022 年 12 月 16 日に閣議決定した 3 つの文書。国家安全保障に関する最上位の政策文書「国家安全保障戦略」「防衛日標」達成の手段などを示した「国家防衛戦略」、約 10 年後の自衛隊の体制、5 年間の経費総額、主要装備品の整備数量などを示した「防衛力整備計画」から成る。

敵基地攻撃能力　専守防衛の立場からその保有は許されないとしてきた、相手国の基地や指揮系統を先制的に破壊することのできる攻撃能力のこと。岸田政権が安保 3 文書で保有を認め、長射程ミサイル等の兵器を配置し始めている。

2023年

2月1日　東京市ヶ谷に自衛隊統合司令部新設。

2月28日　厚生労働省は去年生まれた子どもの数は速報値で79万9728人と、1899年に国が統計を取り始めて以降、初めて80万人を下回ったと発表。

5月8日　新型コロナウイルスの感染症法上の位置づけが季節性インフルエンザ等と同じ「5類」に移行。

6月2日　マイナンバーカードと健康保険証の一体化や、マイナンバーの利用範囲の拡大などを盛り込んだ関連法改正法が、参議院本会議で賛成多数で可決・成立。

6月21日　世界各国の男女間の平等についての調査報告書が公表され、日本は政治参加の分野で格差が大きく、調査対象となった146カ国中125位に。過去最低順位。

8月24日　福島第一原子力発電所にたまるトリチウムなどの放射性物質を含む処理水について、東京電力は政府の方針に基づき基準を下回る濃度に薄めたうえで、海への放出を始めた。

9月4日　最高裁、米軍基地普天間飛行場の辺野古移転をめぐる訴訟で、沖縄県の訴えを退ける。

9月13日　第二次岸田内閣発足。

10月1日　消費税のインボイス（適格請求書）制度開始。

10月13日　文科省、旧統一協会の解散命令を請求。

10月29日　米軍オスプレイ、屋久島沖で墜落。

12月1日　自民党「安倍派」議員の裏金疑惑発覚。

無言ではいられない宣伝
（1月1日と月曜日が祭日の日）
2013年（7回）
2014年（5回）
2015年（7回）
2016年（6回）
2017年（6回）
2018年（10回）
2019年（11回）
2020年（7回）
2021年（5回）
2022年（6回）
2023年（5回）

北野白梅町駅頭から

井上吉郎のフェイスブックより

（2017・4〜2022・7）

「壊憲」への反撃、草の根から

2017年

〈4月24日〉快晴、朝陽がまぶしい。〝テロは口実共謀罪〟と自書したものを胸に、〝殺すな殺されるな〟ポスターを膝下に、7時40分から9時まで、10人＋ゴリちゃんで「無言宣伝」。書籍『無言宣伝』のチラシが出来上がり、通る人12人に配布。「がんばってください」の返事も。嵐電白梅町の駅員2人、お礼をかねてわたす。

24日「朝日歌壇」《道徳という教科無きフランスは小学生より哲学学ぶ（小林幸子）》佐佐木幸綱選評「哲学と道徳と、小学生のためにはどちらがいいのだろう」。《親分が核を持つから被爆国なれどもそれを禁止せぬとう（岡田独甫）》高野公彦選。

「朝日俳壇」《戦あるなと田螺《たにし》がこぞって囁《ささや》きぬ（本多豊明）》金子兜太選。

〝国民監視法案〟であり、権力の前にひれ伏す国民をつくるものであること。法相も答弁不能の「ムチャ法案」であること。〝解釈権〟を「壊憲勢力」に握らせると「異議申し立て圧殺法」に変わるということ。「ゴリちゃんもNO！」の共謀罪法案。

〈4月29日〉『無言宣伝　京都・北野白梅町駅頭　月曜日のアサ』完成。28日昼前、インクのにおいが残る本が届いた。カバーはカラー、タイトルが真ん中にあって、下には13人の人と「共謀罪STOP」と書かれたポスターを張り付けたザルを首から下げたゴリちゃんが描かれている。作業を始めたのは今年、25人もの人が原稿を寄

せてくださり、写真を送ってくださった。絵も描いてくださった。僕の書き下ろし原稿と2013年晩秋以降のフェイスブック原稿とで200ページの本が出来上がった。自分で言うのもなんだが、「無言宣伝」の様子と考え方が分かる。完成後、僕にまっているのは、普及の作業。さしあたりはメーデーでの宣伝と販売。

〝共謀罪〟は〝凶暴罪〟だ！

〈5月1日〉 薄雲の空、おわる頃にはポツリポツリと雨滴。〝花見も罰する共謀罪〟と自書したものを胸に、7時40分から9時まで、11人＋ゴリちゃんで「無言宣伝」。書籍『無言宣伝』が出来上がり、さっそく5冊も売れた。嵐電白梅町の駅員に、お礼をかねて贈呈。顔馴染みになった人数人にも、「あったかくなってよかったですね」の声。連休の真ん中か故か、通る人が少ない。ゴリちゃんの毛を撫でる人、うなずく人も。

1日「朝日歌壇」《ラジカルに疑えもっとラジカルに人殺す武器なぜあるのか（十亀弘史）》佐佐木幸綱選。

「朝日俳壇」《戦争へ回帰しさうな桜かな（無京水彦）》金子兜太選。

「共謀罪」法案が、権力機関に「銃剣」「監視権限」「覗き見」を与えるようなものだとの事実が明らかになってきた。内心の自由が脅かされようとしている。

〈5月8日〉 雲ひとつない晴れ、黄砂とぶ空、風さわやか。〝覗くな！心を　共謀罪〟と自書したものを胸に、〝殺すな殺されるな〟ポスターを膝下に、7時40分から9時まで、12人＋ゴリちゃんで「無言宣伝」。『無言宣伝』23冊販売、新聞記者も。会釈する人何人か。

7日「朝日歌壇」《まさかと思っている内に戦争に巻き込まれている様な錯覚（宮川一樹）》馬場あき子選。

「朝日俳壇」《九条のありて賑はふ花見かな（米津勇美）》大串章選。

〈**5月15日**〉初夏、重苦しい雲の空。〃国民監視の共謀罪〃と自書したものを胸に、〃殺すな殺されるな〃ポスターを膝下に、7時40分から9時まで、新しい参加者を含めて15人＋ゴリちゃん、ミッキーなどで「無言宣伝」。「葵祭」の日、そして沖縄の「本土復帰の日」から45年。『無言宣伝』が30冊も売れた。金閣寺に行く観光バスからの手ふり多し。

15日「朝日歌壇」《国民が作ってゐるよ一強独裁国が亡ぶはかくの如きか（有賀政夫）》高野公彦選評「近ごろ自民公明による強大な政権が国会をゆがんだ場にしている。こうなったのも国民が選挙で安定政権を作ってしまったからだ、と嘆く」。

「朝日俳壇」《戦後よりまた戦前へ四月馬鹿（馬目空）》金子兜太選評「言うこと為《な》すこと戦前そっくりだ。嘘《うそ》がまかり通る。ああ嫌だ」。

〈**5月17日**〉昨16日夕、共謀罪通すナ！白梅町行動に10人参加【17：15】〃覗くな心を　共謀罪〃を胸に、〃アベ政治を許さない〃ラミネート巨大ポスターを膝下に行動開始【17：20】ゴリパパ、自転車の前後に共謀罪反対グッズ満載で登場【17：30】マイク宣伝始まる。あわせて3人が、話し合いが罪になる、テロ対策は虚偽、監視社会をつくるなど交々声だし宣伝【17：40】見返り美人のドラム演奏始まる。軽やか【17：45】「無言宣伝」で馴染みになった人5人、退勤で通り挨拶。「無言宣伝」時、無反応だった人、ビラ2種類とってくれ、僕に目配せ【18：00】参加者が用意したビラ4種類、受けとりよし、中にはマンガビラも。参加者10人に【18：10】自転車おじさんがプレゼントしたLL赤色Tシャツを着たゴリちゃんと握手する子どもも【17：00】行動終了、薄暗くなる。参加者で記念写真。

〈**5月20日**〉昨19日（金）夕、東京での、「共謀罪廃案、安倍内閣は退陣せよ、国会正門前行動」に呼応して、嵐電白梅町駅頭で訴え、14人参加、最高齢90歳、杖をつく。法務委員会での採決強行に不同意、怒りの行動になった。

【17：00】自転車おじさん、『無言宣伝』10冊買うために自宅に寄る【17：15】〃覗くな心を 共謀罪〃を胸に行動開始【17：20】ゴリパパ、自転車に共謀罪反対グッズ載せて登場【17：30】マイク宣伝始まる、1時間。あわせて4人が、話し合いが罪になる、テロ対策は虚偽、オリンピックの政治利用反対、オウムのサリン事件が事前に取り締まれなかったのは共謀罪がなかったからではなく、取り締まり当局の見逃しだった、監視社会をつくるななど交々声だし【17：50】ビラの受けとりよし、同意の声もかかり、話しかけてくる人も。「がんばっていますね」との励まし、ニッコリの同意、丁寧なあいさつ。参加者へ質問する夫婦も【18：00】駅頭に「共謀罪反対」の声が流れる【18：30】「無言宣伝に参加して良いですか」の声かかる。来週23日火曜日にも「共謀罪」は衆議院本会議で強行される情勢、そこで22日月曜日、アサ8時から9時まで、嵐電白梅町駅前広場で無言宣伝、何時からでも、何時までも。微力かもしれないが、無力ではない。

〈5月22日〉 初夏、快晴、汗ばむようなアサ、飛行機雲いく筋か。〃覗くな心を 共謀罪〃と自書したものを胸に、〃殺すな殺されるな〃ポスターを膝下に、7時40分から9時まで、17人＋ゴリちゃん＋ミッキーちゃん＋ミディーちゃんで「無言宣伝」。新聞の取材2社、『無言宣伝』15冊販売。「共謀罪通すな」「共謀罪NO」などの横断幕、プラスター一杯の白梅町駅頭。「署名はないのですか」と女性、合図多数。

22日「朝日歌壇」《報道の自由度世界72位小さく伝える知る権利の危機（島村久夫）》高野公彦選。

「朝日俳壇」《餓死病死爆死地球の子供の日（三木節子）》金子兜太選評「地球は『子どもの日』まで暗くなった。餓死や病死に加えて戦争で失う子供まで増えている」。

「共謀罪」法案ならぬ「凶暴罪」は、明日23日にも衆議院を通過しようとしている。「共謀罪社会」は「国民監視社会」、「内心の自由」が権力に踏みにじられる社会、疑心暗鬼が覆い尽くす。

〈5月29日〉正面からの陽ざしがまぶしい真っ青な初夏の朝、汗ばむ。〝監視社会つくる共謀罪〟と自書したものを胸に、〝殺すな殺されるな〟ポスターを膝下に、7時40分から9時まで、埼玉県から参加の女性とその子息、左京区からの女性など17人＋ゴリちゃん＋ミッキーちゃん＋ミニーちゃんで「無言宣伝」。『無言宣伝』10冊販売。修学旅行生多し。目配せ、合図、自転車を止めての挨拶も。女性がゴリちゃんを撫でてくれた。

29日「朝日歌壇」《「自衛隊があるのになぜ9条がある」とすり替へられゆく憲法論議（小林正人）》永田和宏選。

「朝日俳壇」《陽炎《かげろう》や全ての戦争許すまじ（釋蜩硯）》金子兜太選。

1925年、国民の異議申し立てを抑える目的を持って治安維持法は制定され、28年、最高刑を死刑にするために同法は改正されたが、これは議会をスルーして緊急勅令でバージョンアップされた。国民に諮ることなく〝死刑法〟になってしまった。今日29日から参院で「共謀罪法案」が審議される。

〝アベ政治NO〟の選択こそ

〈6月5日〉正面からの陽ざしまぶしい初夏の快晴、さわやかな風吹きわたる。〝密告すすめる共謀罪〟と自書したものを胸に、〝殺すな殺されるな〟ポスターを膝下に、7時40分から9時まで、11人＋ゴリちゃんで「無言宣伝」。カンパでつくった「日常が取り締まり対象の「共謀罪」NO！」の横断幕デビュー、新聞記者取材、『しんぶん赤旗』に『無言宣伝』の広告載る。〝不屈〟Tシャツの「ゴリちゃん缶バッヂ」出来る（一つ200円）。ウクレレ男性、過剰とも言える反応、ゴリちゃんへの目配せも。

5日「朝日歌壇」《リハビリの発声にふと言いて見ぬ「九条守れ」と験《ため》すが如く（丸木一麿）》高野公彦選。

「朝日俳壇」《九条のありて千枚の青田かな（瀧上裕幸）》金子兜太選。

「基地の県内移設に反対する県民会議」「『止めよ

う!辺野古埋立て』国会包囲実行委員会」「戦争させない・9条壊すな!総がかり行動実行委員会」が主催し、「共謀罪NO!実行委員会」が協賛する、「止めよう!辺野古埋立て 共謀罪法案は廃案に!6・10国会大包囲」が準備されている。呼応して、白梅町駅前でも行動。来たれ、意思を示そう。

〈6月12日〉梅雨休み、初夏のどんよりの空、吹く風少し冷たし。〃×共謀罪〃と自書したものを胸に、〃殺すな殺されるな〃ポスターを膝下に、7時40分から9時まで新聞記者の取材、大阪からや新しい参加者含め15人+ゴリちゃんで「無言宣伝」。ワイワイガヤガヤ、今朝もミニレク多数。自転車の男

性手をあげて挨拶、バスの中からフラッシュ、手ふり。顔馴染みの人何人か通らず。

11日「朝日歌壇」《上空を飛行機雲が交叉して共謀罪強行採決の朝(岩瀬義丸)》高野公彦選。《歌壇欄も目を付けられておらぬかと恐るる時の来るを恐るる(垣野俊一郎)》永田和宏選。「朝日俳壇」《月光を包む黒雲沖縄忌(利根川輝紀)》金子兜太選。

「組織的犯罪処罰法案」たる「共謀罪法案」は277の犯罪の取り締まりを可能としている。犯罪事実も不明な段階で取り締まるためには、「人の心」を捜査することになる。心=思想・信条を取り締まりの対象にする共謀罪は最悪法案、許すまじ。

〈6月26日〉朝の陽まともにあたる。サングラス掛けて目を紫外線からまもる。〃憲法9条にノーベル賞

を〃と自書したものを胸に、〃殺すな殺されるな〃を膝下に、7時40分から9時まで、11人（ゴリちゃん事情で欠席。風邪をひいたのかな?）で無言宣伝。〃アベ政治を許さない〃ポスターに「私も同じ意見です」と男性が力を込め、自転車通勤女性、ニッコリとほほ笑む。

26日「朝日歌壇」《ゆるゆると人に近寄る戦車見つゆるゆると寄るものの怖さよ（中原千絵子）》永田和宏選、《KYは空気を読めぬ略といふ読み過ぎたればST（忖度《そんたく》）となる》高野公彦選。

「朝日俳壇」《政権も徒党に堕すや走り梅雨（松野賢珠）》金子兜太選。

7月26日（水）は、相模原殺傷事件から1年にあたる。この事件には、人間理解の根本問題が潜んでいる。そこで〈相模原殺傷事件から1年―なにが問題か?あなたはどうする?講演とライブのつどい〉（13：30〜、スタジオ「ラ・カーニャ」）を開く。

〈7月3日〉 朝から蒸し暑い。東京都議選、自民歴史的大敗北・大惨敗、ファースト大きく前進・勝利、共産2議席増・勝利、公明全員当選・勝利、民進後退。「アベ壊憲」挫折、内閣総辞職へ。〃壊憲政治許さない〃と自書したものを胸に、〃殺すな殺されるな〃を膝下に、7時40分から9時まで、15人＋ゴリちゃんらで無言宣伝。与那国の首長選挙が迫っているなどのミニレクも。会釈する人多し、ほほ笑みも。

3日「朝日歌壇」《政治家の嘘言い訳を日毎聴き心はすでに梅雨入りとなる（鈴木節子）》佐佐木幸綱選、《あるものを無いと言い伏すは序曲なり無いをあるとする恐怖社会の（佐野都吾）》永田和宏選。

「朝日俳壇」《蟻の群共謀罪を疑はれ（川原文男）》大串章選、《核兵器廃絶のデモ梅雨の星（酒井忠正）》金子兜太選。

モリトモ国有財産値引き、カケ特別扱い、自衛隊私兵化、ヤミ政治献金…「問題ない」の一点張りで逃げる路線、NO!の追及を。「国益」の上に「私益」を置く「アベ政治」は「美しい日本」に泥を塗る。臨時国会を開いて真相を!は都議選の民の声。

〈7月10日〉強雨あがり、蒸し蒸しの空、湿度70％。〃殺すな殺されるな〃Tシャツを着、〃壊憲政治を許さない〃と自書したものを膝下に、7時45分から9時まで、15人＋ゴリちゃんらで無言宣伝。東京都議選支援の人からの報告などミニレク4本。ゴリちゃんをなでる人、親指を立てる人、同意の意思を声にする人、頭を下げる自転車女性……。

10日「朝日歌壇」《徐々徐々にまきこみゆきし戦前の渦によく似た一強の〈渦〉（野見山弘子）》高野公彦選。

「朝日俳壇」《九条を抱き締め茅の輪くぐりけり（荻原大空）》金子兜太選。

明日11日、「共謀罪法」が施行される。権力は合法的に国民監視、心を覗く手立てをもつ。無力化するたたかいが始まる。

〈7月17日〉雲りぞら、時々陽射し、祇園祭巡行の日、昼ゆえか肢体障害者幾人も。〃殺すな殺されるな〃Tシャツを着、〃壊憲政治を許さない〃と自書したものを膝下に、11時40分から1時まで、兵庫や大阪から参加された2人の人たち10人＋ゴリちゃんで昼の無言宣伝。水害被害にカンパ2件、ゴリちゃん缶バッヂ1個、アコーディオン女性のリードで沖縄の歌。外国の人多数、珍しそうに見てくれる。

17日「朝日歌壇」《ほら此処《ここ》に十一人が身内です平和の礎《いしじ》の死者を撫《な》でる手（伊東紀美子）》永田和宏選。

「朝日俳壇」《沖縄は今日も盾なり慰霊の日（鶴岡木葉）》金子兜太選。

〈7月24日〉ミーンミーンとセミ、今にも雨が降りそうな曇り空。仙台市長選、アベ政治NO！の国民的回答。〝殺すな殺されるな〟Tシャツを着、〝こんな人たちの反乱〟と自書したものを膝下に、7時45分から9時まで、13人＋ゴリちゃん＋ミニーちゃんらで無言宣伝。自転車女性『無言宣伝』買ってくれる。クラクションで合図、頭を下げて同意。

24日「朝日俳壇」《核なくせ灼けて丸山定夫の碑（芝岡友衛）》金子兜太選評「広島にて偶然に被爆死した丸山定夫を思う。嗚呼無念」。

猛暑、セミの声、親指の合図

〈7月31日〉どんより空、温度32度超え、湿度70％、蒸し暑い朝。〝殺すな殺されるな〟Tシャツを着、〝サヨナラ！アベ政治〟と自書したものを膝下に、7時40分から9時まで、香川県からの参加者夫婦含め16人＋ゴリちゃん＋ミニーちゃんらで無言宣伝。『無言宣伝』1冊販売。寄ってきて声をかける人、親指をたてて合図する人、ゴリちゃんを撫でなでしてくれる人…。

31日「朝日歌壇」《非国民そんな言葉を思い出すこんな人たちと指差す言葉（二宮正博）》永田和宏選、《『こんな人だけれど一人の国民』と言い返しくなるこんな総理に（島村久夫）》永田和宏選評「自分に反対する人々を「こんな人たち」と決めつける首相発言。かつての『非国民』を思い出した人も多かった筈」。

今週にも内閣改造、「改造」すべきはアベ政治、安倍内閣総理大臣自身。憲法に背く政治、「1強」という名の「独全」政治、私利私欲に走る国民そっちのけ政治。

〈8月7日〉台風の影響で強雨強風、高温（30℃）多湿（70％超）、最悪の気象。夏休みゆえ通る人少なし。雨具を身にまとい、傘を手に、〝サヨナラ！アベ政治〟と自書したものを胸から下げ、水分を補給して7時45分から8時30分まで、9人＋カッパを着たゴリちゃんで無言宣伝。「雨の中、御苦労ですね」と通勤の女性、クラクションで合図も。ゴリちゃんを撫でる女性のいつくしむような眼差しが印象的。

7日「朝日歌壇」《積極的平和主義なる言葉には大東亜共栄と同じ匂いす（伊東伸也）》佐佐木幸綱選、《十三にてヒバクシャとなり七十余年廃絶を問へど国応《こた》へざり（松井恵）》馬場あき子選。

ニューヨークから人来たる

〈8月28日〉正面から照りつける朝陽を受ける。気温31℃、湿度60％、人少なし。〝殺すな殺されるな〟Tシャツを着、〝改憲ダメ！〟と自書したものを膝下に、水分補給もしながら7時40分から9時まで、ニューヨークからの参加者と一緒に15人＋ゴリちゃんらで無言宣伝。最新のニューヨーク事情が聞けた。立ち止まり「アベ政治をやめさせよう」と演説する人、「ゴリちゃんのお友達ね」とミニーちゃんに声をかけてくれた人、親指を立てて同意サインを送ってくれた人…。

28日「朝日歌壇」《核兵器禁止条約回避してどの面下げて原爆忌の客（中原千絵子）》高野公彦選。

「朝日俳壇」《終戦日沖へ沖へと雲流る（小沢勝正）》大串章選。

〈9月4日〉厚い雲、気温29℃、湿度43％、しのぎ易い朝、人も戻る。民進党代表に京都出身の前原誠司さん、共闘路線を。〝殺すな殺されるな〟Tシャツを着、〝改憲政治を許さない！〟と自書したものを膝下に、7時45分から9時まで、新しい参加者含めて14人＋ゴリちゃんで無言宣伝。出勤途中、15分だけの参加者、うれしい。軽自動車のドライバー、スピードを落としてニコニコ合図、お互いに無言交流、好ましい。自転車からの声かけ3件、イイねー。

4日「朝日歌壇」《「ヒバクシャの条約になぜ参加せぬ」忖度《そんたく》をせず長崎市長（冨山俊明）》佐佐木幸綱、馬場あき子選。

「朝日俳壇」《夾竹桃《きょうちくとう》原爆の死は続きおり（北河覚）》

金子兜太選。

ホロコーストの残虐についての証言を集めた長編ドキュメンタリー映画《SHOAH　ショア》（監督・製作／クロード・ランズマン、フランス、9時間27分、1985年）の上映（2018年1月27日、土、「ホロコースト犠牲者を想起する国際デー」）を計画、力を貸してください。

〈9月11日〉 雲り、空の雲は秋、暑くなく寒くなく……。大学生の姿見ず。〝殺すな殺されるな〟Tシャツを着、〝×改憲〟と自書したものを膝下に、7時40分から9時まで、16人＋ゴリちゃんらで無言宣伝。《「壊憲」NO！の市民運動こそ／加われ！改憲許さない輪に》《市民＋野党共闘でアベ政権をやめさせよう／野党共闘が民意の受け皿》と書いた緑と黄色の横断幕、その真ん中には「アベ改憲政治NO」の連プラデビュー、注目される。高校生が、話を聞いてくれる。

10日「朝日歌壇」《戦争を〈憎む〉はあれど〈反省〉は無き日本の首相の式辞（鬼形輝雄）》高野公彦選。「朝日俳壇」《語り部の遺影となりて八月尽（吉部修一）》金子兜太選評「戦禍を知る人がまた一人減ってしまった。語り継ぐことが増々《ますます》大事に」。

〈9月16日〉 白色の長そでシャツ、その上に〝殺すな殺されるな〟（僕らは、こう書いたものを2015年5月3日の『ニューヨーク・タイムズ』に意見広告として掲載した。揮号したのは宮城泰年聖護院門跡門主。それをTシャツにした）の白いTシャツ、下は白の半ズボン、白ずくめの出立ちで無言宣伝に出かけようと思ったら、連れ合いが「お遍路さんみたい」と言い出した。「なるほど！」と僕は思った。「無言宣伝」はある意味、お遍路さんと言えなくもない。「無言」で、自分が考える大切な問題を主張する。「無言宣伝」もお遍路さんも「無言」、音とは無縁だ。座ること、立ち続けること、歩くことで自分の思いを示す。お遍路さんは「同行二人」といわれるように、弘法大師空海が一緒に歩く。遍路では一人で歩いているようでも大師がそばにいる。真言宗の開祖・空海は京都の東寺を建立した人、東寺の五重の塔はシンボル、長い間、京都では「東寺さんより高いものを建ててはいけない」と言われてきた。遍路の道中、見知らぬ人から「お接待」を受けることがあるという。「無言宣伝」にとって、何よりの「お接待」は人々の「同意サイン」かもしれない。

〈9月18日〉台風一過、青い空広がる。〃不屈Tシャツ〃を着、〃憲法こわすな〃と自書したものを膝下に、11時40分から1時まで、新しい2人、大阪からの人3人ふくめて19人＋ゴリちゃんらで無言宣伝。何人もの人からミニレク、アコーディオンの伴奏で数曲。通る人多数、手を振っての激励も。

18日「朝日歌壇」《母国語と母語を隔てる日本海一度も越えず霞むふるさと（康哲虎）》永田和宏・馬場あき子・高野公彦選。

「朝日俳壇」《生きる者みな遺族なり曼珠沙華《まんじゅしゃげ》（ひじり純子）》金子兜太選。

衆議院解散が近付き、10月にも投票の観測。名付けて〃疑惑隠し解散〃、「北朝鮮のミサイル挑発」を背景とする解散、「市民・野党協同」を急ぐこと、「アベ9条改憲許さない」の声を広げることは、われらが至急仕事。

〈9月25日〉快晴の空に一筋飛行機雲。真正面朝陽さんさんサングラス。今日は天神さん、人多し。堺市長選、反維新の現職勝利。〃殺すな殺されるな〃Tシャツを着、〃異議あり！アベ改憲〃と自書したものを膝下に、7時40分から9時まで、埼玉からの参加者含め16人＋ゴリちゃんで無言宣伝。今朝もミニレク、学ぶこと多し。クラクションを鳴らす人、しばしプラカードなどを読んで「がんばれ！」の声をあげる人、「アベ退陣」とミニ演説をする人、首を微かに上下する人、心を示す方法はさまざま。

25日「朝日歌壇」《稲のはな咲く山里の朝六時「地下へ避難！」とJアラートは（鬼形輝雄）》高野公彦・永田和宏選。

「朝日俳壇」《無人なる被曝《ひばく》の町の天高し（馬目空）》

金子兜太選。

衆議院は28日に解散される。「疑惑隠し解散」「個利個略解散」に賛成しないが、「売られた喧嘩」、「協同・共同・共闘」で返り討ち。公示日前日の10月9日（月）は国民の休日、従って無言宣伝は正午～1時、題して「無言、ではいられない！」、メッセンジャーあなたも。「アゴラ」（公共空間）だ。

参加者35人、にぎやかに

〈10月2日〉厚い雨雲、最初から最後までやまぬ雨、車いすびしょぬれ。衆院解散後、初の無言宣伝。前原民進党が雲散霧消、飛び乗った汽車は絶望行。〞異議あり！アベ改憲〞と自書したものを胸に、7時40分から9時まで、12人＋カッパ姿のゴリちゃんで無言宣伝。傘をゆらしての合図、英語で話しかける人、ゴリちゃんを撫でてくれる人、自転車から挨拶する人……。

2日「朝日歌壇」《基地あれば「ミサイル落ちるのは早がべ」と床屋の主人語る秋の日（遠藤知夫）》高野公彦選。

「朝日俳壇」《敬老日「きけわだつみのこえ」読破（渡辺健一）》金子兜太選。

〈10月9日〉晴れ、太陽燦燦、秋の空広がる。〞アベ政治を許さない〞の大判プラスターを持って、11時40分から1時まで、大阪からの参加者など35人余＋ゴリちゃんらで「無言、ではいられない」と称した無言宣伝。白梅町の4つの角は「改憲許すな」「辺野古に基地をつくるな」の横断幕などに覆われた。立命大教員で憲法学専攻の植松健一さん、琉球弧への自衛隊配備に詳しい山田和幸さん、児童館職員の藤井美保さん、こくた恵二前衆院議員代理の浜田良之府議、NPO法人の池添素さん、シンガーソングライターの安倍ひろえさん、ハーモニカ、アコーディオン奏者などの声と音が白梅町に流れた。注目度抜群、チラシ配布がスムーズ。

9日「朝日歌壇」《国民の命守る参戦と言ひだしか

ねず米に請はれて（井上孝行）》永田和宏選。

「朝日俳壇」《反戦が最後の仕事敬老日（清水ひさし）》大串章選。

明日10日、衆院選は公示される。大げさに言えば、日本と東北アジアのゆくえがかかる選挙だ。膨大な犠牲の上に、日本国民は「日本国憲法」を手にした。僕は、これを基準にして政党と候補者を選ぶ。


〈10月23日〉 台風、雨風強し、大量の木の葉が歩道に散る。寒く冷たい、手に持つ傘が揺れる。自公300超、補完勢力惨敗、立憲民主大躍進、共産半減。「改憲」発議勢力大幅増。〃×改憲〃と自書したものを胸に、7時45分から9時まで、台風をついて参加の10人十カッパ着用のゴリちゃんで無言宣伝。嵐電白梅町駅、台風被害で正面ボロボロ、危険一杯。出勤通学者少なし。会釈する人、傘を上げ下げする人、「台風の中をありがとうございます」とあいさつする人…。

22日「朝日歌壇」《ミサイルの飛ぶ世なるとも信じよと生徒に語る「言葉の力」（愛川弘文）》佐佐木幸綱選、《他の国を脅かさない朝鮮が僕の学んだ朝鮮だった（康哲虎）》永田和宏選。

「朝日俳壇」《人類の滅びしのちも鳥渡る（枝澤聖文）》金子兜太選。


〈10月30日〉 雨風が強かった台風22号、大量の木の葉を残して去った。台風一過の快晴、初手袋。〃9条改憲×〃と自書したものを胸に、7時45分から9時まで、14人＋ゴリちゃんらで無言宣伝。〃千北スタンディング〃のパンダ・千ちゃん登場、ゴリちゃんとご対面!!ニコニコ顔で「お早うございます」の声かけ、新しい人何人もが会釈。次回は200回目、鳴り物も入る予定。

30日「朝日歌壇」《この選挙明らかになる憲法を守れる人とそうでない人（綾部佳子）》永田和宏選評「開票前の歌だが、風前の灯となった憲法。しっかりと見つめ続けたい」、《銃さえも規制できずに苦しめる地上に唯一核使用国（中原千絵子）》馬場あき子選。

「朝日俳壇」《不戦こそ何より嬉し敬老日（松尾信

太郎）》長谷川耀選。

垂れ幕に無言宣伝２００回

〈11月6日〉快晴、〃×改憲〃と自書したものを胸に、7時40分から9時まで、初参加の2人含めた19人＋ゴリちゃん＋ミディーちゃん＋ミニーちゃん＋パンダの千ちゃんで無言宣伝。無言宣伝２００回を記念して、交差点に垂れ幕があり、アコーディオンの音色が流れる。誠に賑やかな1時間20分だった。名前も知らない人が寄ってきて「井上吉郎さんですね。フェイスブックで見ています」と声を掛けてくれた。観光バスの中からの手ふり、うれしい。

　6日「朝日歌壇」《「核の傘」の下にあっても条約に参加することＩＣＡＮ《わたしはできる》（寺崎尚）》永田和宏選評「ノーベル平和賞のＩＣＡＮは『わたしはできる』を掛けている。被爆国でありながら核兵器禁止条約に参加していない日本。ＩＣＡＮと言って欲しいと」。

昨5日、トランプ来日、日本総理と悪だくみ？

〈11月13日〉快晴、燦燦と輝く朝の陽、されど冷え込み強し。大きくなったプラスターに〃ダメ！改憲〃と自書したものを胸に、7時40分から9時まで、12人＋ゴリちゃん＋ミディーちゃん＋ミニーちゃんで無言宣伝。馴染みになった女性、ゴリちゃんを撫でてくださる。クルマ、バイク、自転車からの手ふり、うれしい。歩行者、何人か会釈。映画『ショアー』のこと、奄美大島のことなどでミニレク。

12日「朝日歌壇」《沖縄に重ね見守りしカタルーニャ今日自治権の停止を知れり（中原千絵子）》永田和宏選。

冷え込む朝に息白く

〈11月20日〉曇り、この秋1番と考えられる冷え込み、ズボン2枚、カイロ6枚。〃ダメ！改憲〃と自書したものを胸に、7時40分から9時まで、長野県の人ふくめ13人＋ゴリちゃん＋ミディーちゃんで無言宣伝。入院生活15か月、6回経験して（僕は「病院評論家」を名乗っている）、10年前の今日、2007年11月20日ようやく退院、胃ろう、車いすの在宅生活を始めた。だから今日は僕の「退院記念日」。北から来た女性、近寄ってきて、「いつも御苦労さま」と言って有馬温泉のお土産をくださる。嬉しい。女性2人、ゴリちゃんを撫でてくださる。

20日「朝日歌壇」《部活動の日曜出勤「いたしません」と叫んでみたい教師X《エックス》（愛川弘文）》馬場あき子選。

〈11月27日〉 快晴、されど吐く息白濁、ズボン2枚、カイロ6枚。〝アカン改憲〟と自書したものを胸に、7時40分から9時まで、13人＋ゴリちゃん＋ミディーちゃんで無言宣伝。2回もご挨拶をいただいた女性、大学の先生、近付いてきてご挨拶、通りすぎるはずの車、スピードを落としてメッセージ。

27日「朝日歌壇」《日米の同盟深化は信頼と言いつつそれは武器の売り込み（植田正太郎）》高野公彦選。

〈11月29日〉 2013年11月末、特定秘密保護法に不同意であるとして、僕は嵐電白梅町駅前で無言宣伝を始めた。足かけ5年、「微力かもしれないが、無力ではない」を唱えて座り続けたし、これからも続ける。昨28日、『無言宣伝』の本を求めて人が来た。うれしい。この国を「戦争する」国にするための動きが急ピッチで進んでいる。主権者の一人である僕はこれを見過ごすわけにはいかない。自分の意思を表明する方法は多様だ。そうした中で、僕が選んだひとつが「無言宣伝」だった。僕の身体条件を考え

た時、遠く離れた繁華街での「宣伝行動」には難点があった。また、言語障害がある身には、マイクを使っての街頭宣伝は不可能だった。さらに、利き手の右腕が不随意運動をするので、チラシを撒くのに困難がある。しかしながら、「特定秘密保護法」に不同意であることは強い。マイクが使えない、チラシも撒けない。しかしながら秘密保護法に反対だという意思は示したい。そんなことから「無言宣伝」（当初は一人宣伝と称していた）は13年11月に始まった。特定秘密保護法に異を唱える思いを表明するための「戦術」が、僕の場合は「無言宣伝」だった。

13年11月から17年11月の今日まで「無言宣伝」は、毎週月曜日アサ9時までの75分ほど続けられた。前夜書いたプラカードを首からぶら下げての宣伝だった。当初は、〝ヒミツ〟のベールでくるみ、私たちの知る権利を罰則で縛ろうという悪法が相手だった。「障害」は社会へのアクセスをあきらめさせなかった。「無言宣伝」は集団的自衛権行使容認、戦争法反対、共謀罪法反対、改憲ダメとテーマは変化したが、そうした課題の前では、「障害の有無」は無関係だった。

〈12月4日〉快晴、白い飛行機雲、清々しい朝、だけれど吐く息が白い、ズボン2枚、カイロ6枚。〝アカン改憲〟と自書したものを胸に、7時45分から9時まで、13人＋ゴリちゃん＋ミディーちゃんで無言宣伝。自衛隊問題、憲法学習会などでミニレク。人通り、いつもより少なし。通りがかりの男性、一緒してくださる。

4日「朝日歌壇」《声ひそめ「戦死といっても飢死なのさ」媼呟《おきなつぶや》く　瞼《まぶた》上げつつ（武藤敏子）》永田和宏選。

〈12月11日〉晴れ後曇りの空、清々しい朝、吐く息白濁、ズボン2枚、カイロ8枚。近くのパチンコ屋にクリスマスツリー。〝アカンやろ改憲〟と自書したものを胸に、7時45分から9時まで、12人＋ゴリちゃん＋ミディーちゃんで無言宣伝。バイク男性クラクションを鳴らし手をあげて挨拶、南から北、北から南の自転車女性、手をあげる。「お早うございます」「御苦労さま」「いってらっしゃい」の声飛び交う。

10日「朝日歌壇」《運慶に彫ってもらひたし今の世を怒れるマツコ・デラックスの顔（関沢由紀子）》永田和宏選評「笑えるが笑っている場合ではない。二つの固有名詞の意外性が秀逸」。

「朝日俳壇」《福島に帰る日やいつ寒茜（佐藤茂）》金子兜太選。

1月1日は国民の休日、従って無言宣伝は、正午から1時。ごく近くに初詣で名高い天神さん（北野天満宮）、1年の計は元旦にあり。


〈12月18日〉 冷たく痛いような晴れあがったアサ、飛行機雲いく筋も。ズボン2枚、カイロ8枚。〝アカンやろ改憲〟と自書したものを胸に、7時45分から9時まで、11人＋ゴリちゃん＋パンダの千ちゃんで無言宣伝。「いつもはクルマの中から見ています」という男性、「ご苦労さん」と声を掛けてくださる。ハッとするようなカラフルなスカートを佩いた女性、ニコっと会釈してくださる。大学の先生、帽子をとって挨拶。

18日「朝日歌壇」《もう一度ゆっくり言ってくれないか核持つ国が持たせぬ理由（小杉なんぎん）》永田和宏選評「素朴な疑問を繰り返し問い直す大切さ。被爆国日本が核兵器禁止条約に署名しない理由も」。

「朝日俳壇」《銃後といふ戦場ありし石蕗の花（盛野たね弘）》金子兜太選評「国は国民を守るためと称して戦争をし、国民が犠牲になる。矛盾」。

普天間第二小学校の運動場に米軍普天間基地所属のCH53Eヘリコプターの窓が落下した。怒‼　基地撤去だけが命を守る。

壊憲許すまじ

〈12月25日〉 寒いアサ、京都盆地特有の底冷え、どんより雲からポツリポツリ、ズボン2枚、カイロ8枚。〝壊憲をどうするか〟と自書したものを胸に、7時45分から9時まで、初参加の大学教授を含む15人＋ゴリちゃん＋ミディーちゃんで、2017年最後の無言宣伝。31日まで仕事だという女性、ゴリちゃんを撫で撫で。見知らぬ女性、軽く会釈してくれる。これまで3年ほど無視の男性、ほほ笑んでくれる。

25日「朝日歌壇」《線量は遺骨にまでも沁み込んで持ち出せぬという条理が悲し（大場公史）》佐佐木幸綱選、《沖縄の人は「本土」というこの地「内地」と言いし引揚げの我は（山本真喜子）》高野公彦・馬場あき子選。

〈12月29日〉2017年僕の10大ニュース

▽入院することのない1年だった。倒れてから11年、1年間入院しなかったのは3年。▽人前で話す機会を頂いた。佛教大学や偲ぶ会、障全協近畿ブロック運動交流集会などでお話しできた。▽フェイスブック、「編集長の毒吐録」や『北山杉』『紫式部』『ひゅうまん京都』『みんなのねがい』の月刊紙誌に執筆し、『朝日新聞』や『京都新聞』の投稿欄に寄稿、自説を述べた。▽2か月に1回の「合評会」、3か月に1回の「障害者のさまざまなことを学ぶ会」に参加、「白梅町憲法カフェ」を始めた。

〈12月30日〉続▽「読書雑記」は№284から№400の116冊、読んだ本は150冊余。▽「相模原障害者施設殺傷事件」から半年の1月26日、「相模原殺傷事件から半年―なにが問題か?あなたはどうする?」を成功させ、1年後の7月26日、「相模原殺傷事件から1年―なにが問題か?あなたはどうする?」をもった。▽衆院選で「野党共闘」＝「日本型統一戦線」が前進した。▽憲法施行70年を記念して、松元ヒロライブ（8月13日）に取り組んだ。与那国島の人との交流など学びと交流にも力を入れた。衆院選挙の結果、国会は「明文改憲」発議可能な議席になった。〝草の根〟からの反撃・問題提起こそが2018年の課題。▽「無言宣伝」が続いた。毎月曜日アサの「無言宣伝」、延べで数百人、埼玉、東京、大阪、香川からも参加者があった。「戦争する国」にしないために白梅町の「無言宣伝」は来年も続ける。

▽WEBマガジン・福祉広場を今年も（16年間）続けられた。9人の筆者、何百人もの読者に感謝。

北野白梅町駅前は〝アゴラ〟だ

2018年

〈1月1日〉温かいほどの元日、晴れた空が見える。ズボン2枚、カイロ6枚。〝9条改憲許さない〟と自書したものを胸に、「国民の休日」の今日は、正午から1時まで、初参加の2人含めて18人＋ゴリちゃん＋ミディーちゃん＋パンダの千ちゃんで、2018年最初の無言宣伝。天神さんの初詣客とクルマであふれかえる。「ご苦労さん」「励まされています」「さすが京都ですね」「お正月からとは」などの声。

〈1月8日〉雨、時々強雨、強風の成人の日、和服姿の人3人。ズボン2枚、ダウン2枚、カイロ10枚、でも冷える。〝9条改憲許さない〟と自書したものを胸に、「国民の休日」の今日は11時45分から午後1時まで、10人＋ゴリちゃんで無言宣伝。なかま4人で、辺野古に行くという人のミニレク、顔見知りの人2人、声をかけてくださる。「戦争は起こらないと思うよ」という人や、しげしげとプラスターの文言を読んでくださる人も。

8日「朝日歌壇」《被爆国口を閉ざすも被爆者は世界に向けて口を開きぬ（村田卓）》馬場あき子選。

「朝日俳壇」《沖縄の虐げらるる年惜しむ（佐藤茂）》金子兜太・長谷川櫂選。

安倍首相、年頭挨拶で改憲発議に強い意欲示す。負けるわけにはいかない。

〈1月15日〉雲間から差し込む光、冬の朝空に鮮やか飛行機雲。寒さと共にスタートした無言宣伝、終わる頃には寒さゆるむ。ズボン2枚、カイロ10枚。〝米軍ヘリ飛ぶな！〟と自書したものを胸に、7時45分から9時まで、14人＋ゴリちゃん＋ミディーちゃんで無言宣伝。「維新」議員候補と一緒。辺野古行きの人から基地建設と選挙情勢、改憲反対意見広告への賛同求めるミニレク。通りがかった男性、満面の笑顔、スタスタ女性、頭をさげてくれる。

15日「朝日歌壇」《ヘリの窓落とす程度の軍隊が駐留をして又も沖縄（小島敦）》永田和宏・馬場あき子選、《サーローさん核は絶対悪と説く心の叫びに会場総立ち（諏訪兼位）》馬場あき子選。

〈1月22日〉寒のもどりと共にスタートした無言宣伝、雲どんよりの空、ズボン2枚、厚いひざかけ、カイロ10枚。〃改憲発議NO！〃と自書したものを胸に、7時45分から9時まで、9人＋ゴリちゃん＋ミディーちゃんで無言宣伝。大学生の姿見えず、通る市バスがらがら。映画《ショアー》、チケットの売れ行き好調、沖縄南条市長選で、65票差で野党統一候補勝利についてミニレク。笑い顔幾つか、会釈数人。

22日「朝日歌壇」《日常に辺野古は続く座り込み五〇〇〇日となる二六日（大田はるか）》佐佐木幸綱選、《被爆者が自身を晒《さら》して語り継ぐ「絶対悪」の証人として（山室咲子）》永田和宏選。

「朝日俳壇」《高々と冬の噴水爆心地（谷口一好）》大串章選。

通常国会、今日22日開会。「改憲発議」許すまじ。

〈1月29日〉寒さ厳しい1月、覚悟はしていたが……。ズボン2枚、厚い白のひざかけ、カイロ10枚。〃改憲発議NO！〃と自書したものを胸に、7時40分から9時まで、12人＋ゴリちゃん＋ミディーちゃんで無言宣伝。嵐電白梅町駅から時計がなくなった。異変、本社に電話して確かめることに。映画「ショアー」についてのミニレク、還暦を迎えた女性の決意聞く。大きな男性、頭を下げて会釈、自転車女性2人、南北から来て挨拶、何人もの人が会釈。

29日「朝日歌壇」《アラートは警戒警報シェルターは防空壕とぞ戦時を思ふ（上月節子）》高野公彦選。

《「朝日俳壇」《春待つや頼みの綱の兜太選（内田恒生）》長谷川櫂選。

「ホロコースト犠牲者を想起する国際デー」であった27日の映画《SHOAH　ショアー》の上映は、220人超の参加で大成功。昨28日、稲嶺進さんの3選がかかる沖縄県名護市長選始まる。辺野古米軍新基地建設ゆるすまじ。

俳人、金子兜太逝く

〈2月5日〉 今冬1番かもしれない寒さ厳しいアサ、覚悟はしていたものの……。ズボン2枚、厚い白のひざかけ、カイロ14枚（今冬最高枚数！）。稲嶺進さん3選ならず。辺野古米軍新基地建設許すまじ。〃9条改憲　許さない〃と自書したものを胸に、〃不屈〃と墨書した色紙を膝下に、7時45分から9時まで、新しい人を含めて12人（ゴリちゃんはインフル）で無言宣伝。

ゴリちゃんの姿見えずガッカリの人2人、会釈して下さった人11人、手ふりの人3人、声かけ1人。

〈2月12日〉 寒さ募る2月、梅の便りも聞こえるというのに……、ズボン2枚、カイロ10枚。〃通すな！9条改憲〃と自書したものを胸に、11時45分から1時まで、大阪からの2人、新しい人を5人含めて22人で無言宣伝。子どもの手を引いた映画村行きの女性、僕に近寄ってきて「吉郎さん、会えてよかった」と声かけ、お腹に手を当て「3人目ができるんです」と。

12日「朝日歌壇」《〈焼き場に立つ少年〉は歯を食いしばる耐えて堪《こら》えて生きるしかなかった（田原モト子）》高野

公彦選評「長崎の原爆投下で死んだ幼い弟を背負い、火葬場で順番を待っている少年の写真を詠んだもの。直立不動の姿勢でじっと何かに耐えているその姿は、私たち日本人の心を打ち、遠くローマ法王の心をも動かした」

〈2月19日〉曇りの空、うっとおしい、ズボン2枚、カイロ10枚。〝壊憲　不同意〟と自書したものを胸に、7時45分から9時まで、12人＋ゴリちゃん＋ミディーちゃんで無言宣伝。頻発する地震、ヨウ素剤、憲法集会のミニレク。ゴージャスな衣装をまとった女性に「おはようございます」と声をかけたら、こちらを見て頭をさげてくださった。ヘッドライトをあげての合図もうれしい。

19日「朝日歌壇」《米軍のヘリの脅威が北朝鮮のミサイルよりも恐い沖縄（木村義熙）》馬場あき子選。

「朝日俳壇」《冴え返れ兜太戦後を終はらすな（青野迦葉）》長谷川櫂選。

4月8日に投開票される京都府知事選挙に福山和人さんが立候補表明。

〈2月26日〉陽が東からさす朝、初春と呼ぶべき日。ズボン2枚、カイロ8枚。〝アベ政治を許さない〟と金子兜太氏が揮毫されたプラスターを胸に（兜太を偲んで）、7時45分から9時まで、14人＋ゴリちゃん＋ミディーちゃんで無言宣伝。憲法集会、ヨウ素剤配布についてミニレク。「お金の入れるところは？」と言って寄ってきた女性、元気よくにこやかに笑顔でエールを送ってくれた自転車女性も。

26日「朝日歌壇」《解釈はたったひとつで九条を読めば誰でも解る九条（東金吉一）》永田和宏選、《黒ぐろと兜太書く文字掲げらるる国会の前声うねる頃（穴井香代子）》馬場あき子選。

「朝日俳壇」《立春や兜太の選を待つ朝（祖田敞至）》長谷川櫂選評「もはや、かなわぬ願いとなった」。

〝そだね～改憲NO！〟

〈3月5日〉 強雨、暗いどんよりの朝、黙りっこい人々が傘をさし、下を向いて歩く。ズボン2枚、カイロ6枚。〝そだね～改憲NO！〟を胸に、7時45分から9時まで、新しい人を含めて11人＋ゴリちゃんで無言宣伝。沖縄、福島についてのミニレク、学べた。降りしきる雨を払いのけるような笑顔挨拶5人、うれしい。8時45分ごろ通る男性、帽子をとって会釈。

5日「朝日歌壇」《アルマーニシャネルエルメスバーバリー子の時代から始まる格差（島田章平）》永田和宏選評「銀座の小学校の制服。私はブランドに興味のない人間だが、小学生にブランドをという発想は理解できない」。

「朝日俳壇」《兜太選生涯四句温みたり（金子文衛）》長谷川櫂選評「生涯の四句、大事にしていただきたい」。

25日の自民党大会で正式決定されることになっている運動方針で、「憲法改正案を示し、改正実現を目指す」と題する章を設け、改憲姿勢を掲げている。

〈3月19日〉 雨のち曇り、すこしだけ寒い、カイロ6枚。〝アベやめろ そだね～〟と書いたものを胸に、7時45分から9時まで、東京の客人2人含めて12人＋ゴリちゃんで無言宣伝。新聞などメディアの世論調査結果、安倍支持急落、不支持急増の数値。京都府知事選のミニレク、広がり示す。新しい人3人が会釈、声掛け、街頭にあらたな変化が。

19日「朝日歌壇」《山寺の父の頭を「禿《は》げたな」と撫でて笑ひし兜太先生」（斎藤紀子）》馬場あき子・永田和宏選。

「朝日俳壇」《白梅に我が慟哭《どうこく》や兜太逝く（斉木直哉）》長谷川櫂・大串章選。

〈3月26日〉 晴れ、別れと進級・進学・就職の季節、桜満開近し。〝そだね～ アベやめろ〟と書いたものを胸に、7時45分から9時まで、入れ替り立ち替りの15人＋ゴリちゃん＋ミディーちゃん＋ミニーちゃんで無言宣伝。昨25日の自民党大会で改憲方向決める。通すな！　何人もの人が別れの挨拶、「よろしく」の挨拶、わざわざ寄ってきてのご挨拶、ゴリちゃんを撫でる人2人、「写真を撮っていいか」と英語で尋ねる人も。賑やかな路上の月曜日の朝。

26日「朝日歌壇」《先住民の土地を奪ひし末裔《まつえい》が国境に塀を築かんとする（籾山肇）》佐佐木幸綱・高野公彦選。

「朝日俳壇」《被曝《ひばく》の地春来たれど人は来ず（松永朔風）》大串章選。

〈4月2日〉 桜満開、春爛漫。「福山和人さんを知事に」の宣伝近くで。〝憲法改ざんするな！〟と書いたものを胸に、7時45分から9時まで、アメリカからきた人含めて13人＋ゴリちゃん＋ミディーちゃん＋ミニーちゃんで無言宣伝。ニューヨークでの銃規制、沖縄のジュゴンへの動き、府知事選の状況、沖縄の映画上映の提案などのミニレク。綺麗に着飾る女性（僕らは勝手にマダムと呼んでいる）、フランスからの観光客寄ってきて励ましてくれる。

2日「朝日歌壇」《畑消えて発電パネル増えてゆき野菜を売らずに電気売る農（笠井一郎）》高野公彦選。

〈4月9日〉 生徒激増、勤め人少なし、寒の戻りのような春の気候。太陽燦燦のち雲。京都府知事選挙、低投票率、福山さん敗北するも大健闘、憲法など日本の行く末に暗雲。〝ダメ！・改憲〟と自書したものを胸に、7時45分から9時まで、短時間参加の4人含めて13人で無言宣伝。千客万来、東京のジャーナリスト、写真家、マダムなど相次いで訪問。「月曜日の朝は北野白梅町」と異口同音に。来る者拒まず去る者追わず。選挙事務所の様子のミニレク、選挙の感想も。

8日「朝日歌壇」《いじめ方　嘘のつき方　隠し方責任のがれを見ている子どもら（寺下吉則）》永田和宏選、《参政権もたねど楷書で名を書けり改憲ノーの署名用紙に（金忠亀）》高野公彦選。

「朝日俳壇」《太く濃き兜太の一書あたたかし（清

水呑舟)》大串章選。

〈4月16日〉近くのダンススクールの生徒ら激増、春のぽかぽか陽気、太陽燦燦。〃壊憲不同意〃と自書したものを胸に、7時45分から9時まで、13人+白いTシャツ姿のゴリちゃん+ミディーちゃん+ミニーちゃんで無言宣伝。〃安倍退陣〃と墨書した横断幕に鯉のぼりが泳ぐ。沖縄、絵手紙、近江八幡市長選などのミニレク。わざわざ寄って声をかけてくれる人、バスの中からの手振り、ゴリちゃんを撫でてくれる人2人、帽子を上げての挨拶。

15日「朝日歌壇」《あんなにも平和愛せし兜太氏が小林多喜二の忌に逝き給ふ(神郡一成)》馬場あき子選、《改竄を改ざんと書く手緩《ぬる》さよ穴の鼠《ねずみ》はつゆ出ざりき(高橋道子)》永田和宏選。

米軍と英仏軍がシリアを攻撃、安倍総理はすぐに支持を表明。攻撃の口実である化学兵器使用の有無を確かめないままの支持表明、もっと言えば、戦争行為を煽る態度に反対。

〈4月19日〉車いすは入り口でお断り!! 車いすでは、トイレも使えない!! 車いすから降りて、サーカスのようにふるまわないと小便器が使えない。大便器は奥のほうにあって、どう試みてもそこには着けなく、利用は不可能。そんなトイレが、嵐電白梅町駅にある。この駅は、観光・京都のターミナル、先には、龍安寺、妙心寺、仁和寺、映画村、そして嵐山がある。観光都市・京都の西玄関ともいうべき駅、そこのトイレの入り口が狭くて、車いすでは使えない。嗚呼!

この駅前広場で無言宣伝に取り組んで足掛け6年弱、これまではトイレは利用しなかったし、利用する必要もなかった。しかしこの日(4月16日)は違った。11日からの頻尿に悩まされていたからだ、数分あるいは数十分もすれば尿意を催す。我慢は不能、尿意とともにトイレに駆け込まないと漏らしてしまう。7時30分に家を出て9時10分に家に帰る。この間100分、尿が我慢できない。紙パンツを履いて、早めにトイレを利用する。駅のトイレは車いすでは利用できないと無言宣伝参加者（ゴリパパ）から聞いていたので、連れ合いの肩を借りることにした。トイレは急坂の上のホームの奥端、車いすの背中を連れ合いに押してもらいトイレに到達。もちろん車いすは入らないので、連れ合いの肩を借りてスタンドアップ、そこからは手の届く範囲のものにつかまって、ようやく便器に辿りついた。ほうほうの体で用を足した。「観光京都」は、大企業のホテル建設に便宜を図ることではない。

〈**4月23日**〉初夏を思わせるような陽ざし、太陽燦燦、白の飛行機雲10数本、サングラスが欲しい。〃怒〃と自書したものを胸に、7時45分から9時まで、入れ替り立ち替りの15人＋白いTシャツ姿のゴリちゃんで無言宣伝。天皇訪問時の与那国、来週の無言宣伝などのミニレク。日傘めだつ朝、今日もマダムが丁寧なごあいさつ、衣装が素敵。背の高い女性ニッコリ。大学生の反応もう一つ。

22日「朝日歌壇」《森友・加計があれども支持率四十で何か怖いなこんな日本（一宮一郎）》高野公彦選、《国会には花さけども実はならず霞か雲か佐川氏の言葉（西羽加代子）》馬場あき子選。

27日は板門店の韓国側で金正恩さんと文在寅さんの首脳会談、ライブ中継があるとか。

GW、無言でいられぬと40人

〈**4月30日**〉曇り、ゴールデンウィークなのか、人出多し。〃殺すな殺されるな〃Tシャツを着て、〃アベ政治を許さない〃と大書したプラスターをさげて、正午から1時まで、白いTシャツ姿のゴリちゃんと一緒に「無言、ではいられない」と題する無言宣伝。参加者40人弱、ピアノ、スピーチ、チラシ配布、憲法3000万署名と賑やか。藤田さんは〃路上のピアニスト〃よろしくピアノ演奏、白梅町の交差点にピアノの音が流れた。龍谷大学の細川教授は路上ミニミニ憲法授業、八尋さん、井坂さんは3日前まで参加した辺野古の最新情報を、国会議員のこくたさん、府会議員の浜田さん、京都市会議員の井坂さんは改憲の動きと朝鮮半島情勢を語り、仏教大学の学生である中川さんは高すぎる学費を告発、細田さんは自作詩を朗読した。〃憲法を暮らしに生かす〃路上憲法集会になった。

29日「朝日歌壇」《辺野古沖のジュゴンもうちのミシシッピアカミミガメも爆音ぎらい（小野長辰）》高野公彦選、《忖度のつぎは改竄隠蔽《かいざんいんぺい》と画数ふえて闇深まりぬ（小知和弘子）》永田和宏選。

「朝日俳壇」《血みどろの平和憲法記念の日（佐藤茂）》長谷川櫂選。

〈5月7日〉ゴールデンウィーク開けのどんより空、雨のち曇り、〃NO!・Abe〃と自書したものをさげて、7時45分から1時まで、11人＋合羽を着たゴリちゃんと一緒に無言宣伝。駒ヶ根土産あり。常連メンバーの山田さん、与那国島に移住、ミニレクあり。14日の無言宣伝後、路上歓送会、来たれ。観光バスからの手振り、会釈数人。

6日「朝日歌壇」《世界中で暗殺毒殺虐殺があってシェイクスピアは眠れず（小野長辰）》馬場あき子・佐佐木幸綱選。

〈5月9日〉菅笠《すげがさ》が届いた。連れ合いからのプレゼント。さっそく頭にのせた。原材料はスゲという多年草の総称という。届いた菅笠は福井県産、以前は農家の副業として、各地で栽培、製作されていたとか。旅人の三度笠、お遍路さん、虚無僧など目に浮かぶ姿は多いが、京都では来週15日に行われる葵祭りで、平安時代の女性が使う市女《いちめ》笠が名高い。僕の用途は、日よけ。太陽が照りつける季節、多くの人は日傘をさして日光を遮断する。しかし、左手は電動車いすのレバーを握り、不随意運動をする右手では日傘は無理。それで考えたのが菅笠。デビューは14日の無言宣伝。「陣笠代議士」などという言葉もあるが、「陣笠総理」「陣笠副総理」にお引き取りねがうのは、「菅笠革命」。

〈5月14日〉　明日15日は葵祭、晴れ時々曇り空。〃怒〃と書いた菅笠《すげがさ》を頭に乗せ、辺野古ブルーの〃不屈〃Tシャツを着て、7時45分から9時まで、初参加の4人を含めて19人＋ゴリちゃん＋ミディーちゃん＋ミニーちゃんと一緒に無言宣伝。山田さん、17日に与那国島に移住、別れ、無言宣伝後の路上歓送会。「がんばれよ！」との声かけ、手振り、会釈何人か、観光客3人合図。

13日「朝日歌壇」《忖度《そんたく》とおもねりの差は如何ばかり猫も思案の国の行く末（鈴木良二）》佐佐木幸綱選。「朝日俳壇」《鯉《こい》のぼり太刀も兜《かぶと》も戦はず（加藤宙）》、《花の信濃の俳句弾圧不忘の碑（河野昭子）》長谷川櫂選。

〈5月15日〉　〃山田さん行ってらっしゃい　北野白梅町から与那国島へ〃と書いた横幕幕、その後ろには寄せ書きと記念品を持った山田和幸さん（和さん）がニッコリ。山田さんは沖縄県与那国市に住民票を移し、明日16日、彼の地に向かう。高校の教員だった何十年前からの思いであった、島に住む。60歳代後半の決断、その前途に待つものに想いをめぐらして「路上壮行会」、昨14日の無言宣伝後の白梅町だった。

「ここに来たら山田先生に会えるかと思ったのです。大学院に進むことを報告したくて来たのです。先生とお会いしたのは60歳代半ばのことです。定時制高校でした。それまでは子育てと主人の仕事で忙しくて勉強する時間がなかったんです。でも勉強がしたくてしたくて……。勇を鼓して定時制高校に入学し、そこで先生と出会ったのです。高校を卒えて大学に進学し、今回70歳を超えて大学院に進むことができました。そのことを山田先生にご報告しようと思って白梅町に来ました」。3年前の無言宣伝、来訪に驚き、山田さんの知られざる一面を見た。

無言宣伝はアゴラとは山田さんの口癖、山田さんはいつの間にか無言宣伝の2人目の常連メンバーになった。日焼けした肌、その詳しさから僕は当初、沖縄県から京都に来ている人と思った。僕の入院時は彼一人で立ち続けた。与那国、南西諸島、沖縄本島、日本政治と現代について詳しく、何人もの人を紹介してくれた。日本最西端の島から、列島全体への発信を心から期待している。そんな思いも込めて、憲法と沖縄について書いた本をはなむけとして贈った。

菅笠に〝希〟〝怒〟自書して日よけ

〈5月21日〉朝陽燦燦、晴れわたる空、菅笠の出番、〝希〟と書いた菅笠《すげがさ》を頭に乗せ、〝怒〟と自書したものを胸から下げて、7時40分から9時まで、12人＋白いTシャツ姿のゴリちゃん＋ミディーちゃん＋ミニーちゃんと一緒に無言宣伝。ゴリちゃんを撫でてくれる人、手をあげ、頭を下げて合図をしてくれる人、「アベを倒そう」と大声で声をかけてくれる人、軽く会釈をしてくれる人。顔見知りになったにも関わらず無視を決め込む人何人か、朝の白梅町（「はくばいちょう」であって「しらうめちょう」ではありません）の光景。

20日「朝日歌壇」《50センチのコンクリブロックがそれなのか二人が跨《また》ぐ軍事境界線（犬飼亮介）》佐佐木幸綱・永田和宏選。

優生保護法の犠牲者ともいうべき人が声をあげだした。これを一つのきっかけに「優生思想」克服論議が本格化すること願うや切。日大アメフト部監督のルール無視指示事件、権力者の振舞いは政治家・高級官僚のそれと一緒、この国の闇と通底する。

〈5月28日〉どんよりした雲り空、〝希〟と書いた菅笠を頭に乗せ、〝ダメ改憲〟と自書したものを胸から下げて、7時40分から9時まで、12人＋白いTシャツ姿のゴリちゃん＋ミディーちゃん＋ミニーちゃんと一緒に無言宣伝。初めて大型バスの運転手がヘッドライトを上げ下げして合図、道行く外国人2人写真を撮ってくれる。西行きのバイクを止めた女性、いつも見ている「見返り美人」に挨拶、会釈する人、「同意です」と声をかける人何人も。舞妓さんの舞を見る会、ゆすら梅の配布、優性保護法のミニレク。

27日「朝日歌壇」《賢治ならツマラナイカラヤメロと云はむケンクワに手を貸す国となりぬ（殿内英穂）》高野公彦選、《「さう思ふ」「どちらでもない」「思はない」いつも多数は「どちらでもない」（島田章平）》永田和宏選評「世論調査は『どちらでもない』が多数、この無関心こそが、政治を堕落させると」。

〈6月4日〉 暑い快晴の朝、通る人の顔もいきいき、気持ちも晴れやかになる空、すげがさの出番。〃希〃と書いた菅笠を頭に乗せ、〃世直し〃と自書したものを胸から下げて、7時40分から9時まで、11人＋白いTシャツ姿のゴリちゃん＋ミディーちゃん＋ミッキーちゃんと一緒に無言宣伝。写真展、絵手紙交流会、乱開発される竹林、憲法カフェの様子、与那国島行きの計画などのミニレク。ご夫婦で激励、うれしい。観光バスからの手振り、声掛けもうれしい。

3日「朝日歌壇」《「セクハラ罪」確かに無いわな天が下に「失言罪」の無きと同じく（小竹哲）》永田和宏選、《ネクタイの付け根のあたりの咽喉《のど》ぼとけ本音を言へよ国民のため（野中暁）》佐佐木幸綱選。

政府・国会の方に向かって

〈6月10日〉 北野白梅町の駅を400メートル東から望む。そこは無言宣伝の場所。無言宣伝は東の東京、国会を向いて「無言」で「戦争する国・できる国」づくりに異を唱えてきた。「異議あり！秘密保護法」に始まり、「NO！・秘密保護法」「特定秘密保護法は ダメ、ダメ、ダメ、ダメよ〜」「なくせ 秘密保護法」、集団的自衛権行使容認方針が明らかになり、安保法制＝戦争法が国会上程されてからは、「異議あり戦争法」

「使うな！・集団的自衛権」「集団的自衛＝集団的侵略」「殺すな！・殺されるな！」「戦争法はそと！・」「戦争法は廃止　野党は共同」「『死の商人国家』になるな」となり、「オスプレイ飛ぶな」「戦争法は『戦争する国』への一里塚」「南スーダンに行くな」となった。さらに「心を裁く共謀罪」「心をのぞくな」「小〇　共謀罪」が訴えられ、「怒」「そだね～改憲ＮＯ」「非核」が加わった。

僕らをつき動かすのは、「微力かもしれないが、無力ではない」という考えだ。事の大きさに僕らはたじろぐ。「こんな事をやっても意味がない」と考え、行動をする人を冷笑する。たしかに「意味」はないかもしれない。南アメリカ先住民に伝わる寓話に「ハチドリのひとしずく」の話がある〈森が燃えていました／森の生きものたちは／われ先にと／逃げて／いきました／／でもクリキンディという名の／ハチドリだけは／いったりきたり／くちばしで水のしずくを一滴ずつ運んでは／火の上に落としていきます／動物たちがそれを見て／「そんなことをして／いったい何になるんだ」／といって笑います／／クリキンディは／こう答えました／「私は、私にできることをしているだけ」〉。

〈6月11日〉曇り朝、気分もブルー、新潟知事選、原発再稼働慎重候補敗北。原発立地の柏崎で池田さん勝利。〝非核〟と自書したものを胸から下げて、7時40分から9時まで、10人＋レインコート着用のゴリちゃん＋ミディーちゃん＋ミッキーちゃんと一緒に無言宣伝。朝鮮半島問題、「圧力」一辺倒の安倍内閣の姿勢破綻、退陣だけが僕らの選択。修学旅行生を乗せた観光バス何台も。前を通る人。乗っている何十人もの生徒が手を振ってくれた。「ツアコンが必要だね」の声が漏れる。

10日「朝日歌壇」《指導者の指示はあったかなかったか政治の話いやアメフトの話（矢島収）》永田和宏選。

明日12日、シンガポールで歴史的な米朝会談が開かれる。首脳2人シンガポール入り、核兵器廃絶の大きな1歩になることを願う。

〈6月18日〉どんよりの空、8時前に大きな揺れ、短時間、声上がる。「ドーン」と突き上げるようなショック、通る人みんなスマホにかじりつく。警察官2人に様子聞く。震源は大阪北部とか、マンションのエレベーター止まる。僕自身は被害なしだが……。「原発は停められるが、地震は止められない」と無言宣伝参加者。〃怒〃と書いた菅笠をかぶり、〃平和〃と自書したものを胸から下げて、7時40分から9時まで、11人＋ゴリちゃん＋ミディーちゃん＋ミッキーちゃんと一緒に無言宣伝。米朝首脳会談、非核の朝鮮半島への一歩踏み出す、「圧力」だけの安倍内閣の姿勢、限界あらわに。二人の女性、自転車からニッコリ、クラクションで合図する運転者も。

17日「朝日歌壇」《基地の町交付金受け給食は無料となりても騒音減らず（内山春日）》高野公彦選。

「朝日俳壇」《音もなくまた戦前の梅雨に入る（佐藤茂）》長谷川櫂選。

〈6月25日〉正面から朝の陽、あつい。今日25日は祭神・菅原道真の月命日、天神さんに行く車多し。今昼は今季最高温度になる予想、〃希〃〃怒〃と書いた菅笠をかぶり、ポロゆし（かりゆし）を着て、〃対話〃と自書したものを胸から下げて、7時40分から9時まで、長野県からの参加者含め12人＋ゴリちゃん＋ミディーちゃん＋ミッキーちゃんと一緒に無言宣伝。金閣寺めざす観光バス、あわせて13台、こちらも手振り、乗客からも手振り、無言での意思疎通、いいなー。乗用車の運転者、スピードを落として挨拶送ってくれる。自転車、歩行者、何人も会釈。

24日「朝日歌壇」《きっぱりと「総理も議員も辞めますよ」あの発言がそもそもの因（松村蔚）》永田和宏選、《フクシマの線量高き山道を行けば躑躅《つつじ》の鮮やかに咲く（櫻井隆繁）》佐佐木幸綱選。

「朝日俳壇」《月桃の咲けば思ほゆ地上戦（池田典恵）》長谷川櫂選。

〈7月2日〉夏本番、朝から暑い！蒸しあつい！〃希〃〃怒〃と書いた日傘がわりの菅笠をかぶり、辺野古ブルーの〝不屈Tシャツ〟を着、〝非戦〟と自書したものを胸に、7時40分から9時まで、与那国帰りの人含め10人＋ゴリちゃん＋ミディーちゃん＋ミッキーちゃんと一緒に無言宣伝。〝見返り美人〟、与那国のようすをミニレク。姿を見ないと心配していたマダム、素敵な黒色日傘と黒色ドレスで登場、曰く「右足を骨折していました」と、レクチャー受ける。通りがかりの女性、「ごくろうさま」と声かけ。金閣寺に向かう観光バス5台、中から手振り。

1日「朝日歌壇」《「助けて」の言葉を知らぬ子はひとり「ゆるして」だけを抱いて眠れる（芝敏子）》、《五才児が覚えた文字で父母に乞う「ゆるしてくださいおねがいします」（矢田紀子）》永田和宏選。

「朝日俳壇」《七夕や非戦非核の墨太く（鈴木淑枝）》長谷川櫂・大串章選。

〈7月9日〉豪雨、強雨の後の夏、晴れ上がった暑い朝。白い飛行機雲東から西へ、西から東へ幾筋も。〝怒〟と書いた日傘がわりの菅笠をかぶり、赤色の〝与那国Tシャツ〟を着、〝連帯〟と自書したものを胸に、7時40分から9時まで、11人＋ゴリちゃん＋ミディーちゃんと一緒に無言宣伝。明日10日から日本総理、国会開会中の長期「外遊」、メインは仏国軍隊と並んでの「自衛隊」の軍事パレード「閲兵」とか、列島が痛めつけられているのに……。反対！民衆を見捨てるな！ 会釈、声掛け変わらず。マダム、今日は一段とお洒落。ウクレレ青年、帽子を脱いでご挨拶。

8日「朝日歌壇」《戦争の無きまま終はる平成と無きこと祈る次の元号（鈴木正芳）》高野公彦選。

「朝日俳壇」《不忘忌に蛍一つ付いていた（北嶋克司）》高山れおな選評「『俳句弾圧不忘の碑』を詠む。碑文を揮毫《きごう》した金子兜太氏の有名句〈おおかみに蛍《ほたる》が一つ付いていた〉の中七下五を借りる。一般に推奨できる作り方ではないが、この場合は同じ言葉を使うこと自体に強い思いの表出がある」。

〈7月30日〉台風一過とはいかない朝、強風時折ふく。〃希〃と書いた日傘がわりの菅笠をかぶり、辺野古ブルーの〃不屈〃Tシャツを着、〃お前が国難〃のプラスターを膝下に、水分補給も怠りなく7時40分から9時まで、8人＋ミディーちゃん＋ミッキーちゃんと一緒に無言宣伝。ゴリパパ、夏風邪でダウン。横断歩道で信号待ちの女性頭を下げて合図、バイク男性、スピードを落として会釈、いつも通りかかる人5人会釈してくれる。夏休みなのか、人、車少なし、観光バスゼロ。

29日「朝日歌壇」《サッカーのワールドカップサポータほどの結集反戦に欲し（矢尾米一）》永田和宏・高野公彦選。

「朝日俳壇」《大夏木平和憲法さながらに（間渕昭次）》大串章選。

翁長雄志沖縄県知事の遺志を支える

〈8月13日〉お盆ウィークの朝、暑い夏風時折ふく。お盆ゆえ人少なし。〃希〃と書いた日傘がわりの菅笠をかぶり、辺野古ブルーの〃不屈Tシャツ〃を着、〃悼〃のプラスターを膝下に、水分補給も怠りなく与那国、ニューヨーク、三重県からの人交え、7時40分から9時まで、10人＋ゴリちゃん＋ミディーちゃん＋ミッキーちゃんと一緒に無言宣伝。男性、寄ってきてご挨拶。マダム、近寄ってくる。「あなたは歌手だそうですね」「そうなんです」と言って、路上即席ライブ。『故郷』を歌ってくれた。贅沢な時間。来年2月のコンサートも案内してくれる。
12日「朝日歌壇」《南海の海の底には三十五万の敗戦知らぬ兵士が眠る（木村義熙）》高野公彦選評「三十五万という数字の多さに改めて驚く。故国に帰れず、海底に深く眠る兵士たち」

「朝日俳壇」《水爆が沈んでをりぬ夏の海（御厨安幸）》長谷川櫂選評「『某年、水爆搭載機空母より滑落』とある。冷戦後、現代の夏の海」。

翁長雄志沖縄県知事逝去。遺志を守り支える。16日の京都盆地は「五山の送り火」。

〈8月20日〉 お盆過ぎ、とんぼ目の前、風がふく。秋近し、陽射し柔らか、人戻る。〃怒〃と書いた日傘がわりの菅笠をかぶり、辺野古ブルーの〃不屈Tシャツ〃を着、〃辺野古をまもれ!〃のプラスターを胸に、水分補給も怠りなく、与那国に帰るという人交え、7時40分から9時まで、入れ替り立ち替りの12人＋ゴリちゃん＋ミディーちゃん＋ミッキーちゃんと一緒に無言宣伝。見返り美人、ウクレレ青年と一緒、親しそうに話をする。通りがかりの自転車男性会釈、自転車女性に揃ってご挨拶、マダム、来年2月のコンサートの案内状を来週持参と声かけ。

19日「朝日歌壇」《今少しスマホを止めて新聞読めば変わるよ日本の政治（堀百合子）》《日本には依存症残しカジノからの利益の七割アメリカ等に行く（林増穂）》高野公彦選。

「朝日俳壇」《広島にアウシュヴィッツに蟻歩く（飯島幹也）》《原爆忌髑髏《どくろ》の如くきのこ雲（佐藤茂）》大串章選。

9月13日公示、30日投票で沖縄県知事選挙がおこなわれる。辺野古米軍新基地

建設を許さない知事を！

〈8月27日〉 秋まぢか、焼けた肌を、さらけ出す。うんざりの暑い日今日も続きそう。飛行機雲の白い航跡が、晴れわたる青い空に。とりあえず、暑い!!!〝怒〟と書いた日傘がわりの菅笠をかぶり、辺野古ブルーの〝不屈〟Tシャツを着、〝憲法改悪ＳＴＯＰ！〟のプラスターを胸に、水分補給も怠りなく、7時40分から9時まで、入れ替り立ち替りの13人＋ゴリちゃん＋ミディーちゃん＋ミッキーちゃんと一緒に無言宣伝。

母親大会、沖縄知事選、綾部市議選、「無言、ではいられない」についてのミニレク。観光バスから2人手振り、女性、わざわざ近寄ってきて「頑張ってください」と声かけ、女性2人、「暑いですね」との声、自転車女性2人、会釈。通りがかった男性2人、軽く頭下げ。うれしい反応。

26日「朝日歌壇」《九条がほんとに邪魔になるだろう高価な「イージス・アショア」を買えば（佐々俊男）》永田和宏選評「対米追従の典型とも言われるイージス・アショアの配備費用は約４５００億円。防衛予算が膨らむ。怖いのは使用に目障りな九条を廃止しようとする動きか」

26日「朝日俳壇」《英霊にあらぬ怨霊敗戦忌（今村克治）》長谷川櫂選、《終戦日永遠に戦後であることを（内田一正）》大串章選。

〈9月3日〉 暑さ続く朝、汗ダラリ！ 中高生の姿がもどる。台風の前の静かさか。〝怒〟と書いた菅笠をかぶり､辺野古ブルーの〝不屈〟Tシャツを着、〝オール沖縄頑張れ～〟のプラスターを胸に、暑さ対策も怠りなく、7時45分から9時まで、入れ替り立ち替りの13人＋ゴリちゃん＋ミディーちゃん＋ミッキーちゃんと一緒に無言宣伝。17日の「無言、ではいられない」について、今日が京大病院で死んだ被曝留学生・オマールさんの73回目の命日、彼についてのミニレク。ウクレレ青年、「無言、ではいられない」チラシをリュックに入れてくれる。1枚のチラシだけれども…。無性に嬉しい。

2日「朝日歌壇」《辺野古への果たせぬ想ひ抱へつつ旅立つ知事の無念晴らせよ（近藤千恵子）》佐佐木幸綱選。

「朝日俳壇」《雷となり戻り来よ翁長知事（石川義倫）》長谷川櫂選。

〈9月10日〉 強い雨の朝、赤の雨合羽に身を包む。雨傘を離せない。中高生の姿がもどるも雨傘で顔よく見えず。〝NO WAR〟のプラスターを胸に、7時45分から9時まで、入れ替り立ち替りの6人＋カッパ姿のゴリちゃんと一緒に無言宣伝。16日の《加藤周一没後10周年記念のつどい》、13日に公示され、30日に投開票される沖縄知事選勝利を掲げる、17日の「無言、ではいられない」についてのミニレク。「雨の中、ありがとうございます」「雨の中、ご苦労さま」の声かけ、親指を立てての合図、ヘッドライトで合図の車、クラクションも鳴らす。ハイタッチの女性、マダム、秋のドレスに素敵な雨傘。

9日「朝日歌壇」《特攻を考えた人命じた人飛びたった人残された人（加藤正文）》高野公彦選。

「朝日俳壇」《大いなる正午八月十五日（寺崎久美子）》長谷川櫂選。

沖縄の意志示した玉城デニー勝利

〈9月17日〉 晴れの秋空、気持ちのいい昼。「無言、ではいられない」との名称で、沖縄県知事選挙（30日投開票）勝利！の白梅町街頭集会。白の〝ポロゆし（かりゆし）〟を着て、〝憲法改悪STOP！〟のプラスターを胸に、正午から1時まで、入れ替り立ち替りの30数人＋ゴリちゃん＋ミディーちゃん＋ミニーちゃんと一緒に無言宣伝。昨日の《加藤周一没後10周年記念のつどい》、100人超集まる。進行はゴリパパ、これから沖縄に行く人、沖縄から帰ってきた人のスピーチ、市会議員が樹々希林さんの沖縄への思いにふれてスピーチ、大学教員の安保に関する見解、長野たかしさんと森川あやこさんのギターと歌、ハーモニカ、ピアノ、アコーディオンの演奏と盛りだくさん。沖縄県知事選挙の街頭募金は6000円超、1000円札5枚、知事選挙に立候補している玉城デニーさんの選挙チラシも配布。

16日「朝日歌壇」《辺野古崎荒ぶる海に嘆きあり命賭したる者の逝きしを（玉城光）》永田和宏選、《外国《よそ》なのに勝手に飛べる領空《そら》がある横田空域オスプレイ十機（加固康二）》佐佐木幸綱選。

〈9月24日〉秋晴れとはいかない曇り、暑くも寒くもない気持ちのいい昼間。〝辺野古ブルー〟の〝不屈〟Tシャツを着て、〝辺野古をまもれ!〟のプラスターを胸に、正午から1時まで、2人で無言宣伝。〝アベ政治を許さない〟の4枚綴りのプラスターがうまく地上に置けないのを見かねた観光の女性が置いて下さり、なおかつ「ありがとうございます」と言ってくださる。僕もあわてて「こちらこそありがとうございます」と返事。この女性、お連れ合いらしき男性に事の顛末をお教えしたのか、その男性も遠くから会釈。男性、寄ってきて突然声かけ、「ジュース飲む?」と。僕もとっさに「嚥下障害ですから」と返答すると、「頑張ってや」の声を残してスタスタと去る。会釈男性、「頑張ってください」の声かけ女性も。

23日「朝日歌壇」《ウケグチノホソミオナガノオキナハギという魚知る名も韻もよし（大村森美）》永田和宏・馬場あき子選、《故郷《ふるさと》を思ふアムロに反日《はんにち》というレッテルを貼るや悲しき（三井正夫）》高野公彦選。

〈10月1日〉台風一過。晴れ渡る空、暑くもなく寒くもない。〝辺野古ブルー〟の〝不屈〟Tシャツを着て、赤字で書いた〝祝〟のプラスターを胸に、7時45分から9時まで、入れ替り立ち替りの晴れ晴れ顔の10人+ゴリちゃん+ミディーちゃん+ミニーちゃんで無言宣伝。沖縄知事選、玉城デニーさん当選。沖縄と日本が変わる第一歩。万歳!「勝ち栗」入りのお握りの差し入れあり、美味しい（僕は食べられないが……）。自転車男性、わざわざ寄って来て、「沖縄は良かったね」の声かけ。マダム、「デニーさん、よかったですね」と声かけ、その後「無言さま」と書いた「ラブレター」をくれる。中には2月のコンサートの案内状が入っていた。

30日「朝日歌壇」《沖縄が本土化せずに全国が沖縄化してオスプレイ飛ぶ（野上卓）》馬場あき子・永田和宏選、《入営の叫びを聴きぬ母の手の塑像《そぞう》静かに横たふ無言館（岩瀬義丸）》馬場あき子選。

〈10月8日〉 台風一過というべきか。晴れわたる秋の空、暑いぐらい。菅笠を頭に、〝辺野古ブルー〟の〝不屈〟Tシャツを着て、〝民意は新基地建設NO!〟のプラスターを胸に、11時40分から1時まで、入れ替り立ち替りの14人＋ゴリちゃんで無言宣伝。桂からの男性、参加者のスマホ2台で写真を撮ってくれる。これも通りがかりの男性、書き物をじっくり読んで同意、指で○を作って同意の印をしてくれた。会釈をする人3人、自転車を止めて挨拶してくれる人も。朝とは全く違う人の流れ、旅行客が多い。

7日「朝日歌壇」《知事選挙国の利益と沖縄の利益が反し秋が深まる（岡崎正宏）》永田和宏選。

50年前の1968年の『世界』11月号に加藤周一の「言葉と戦車」が掲載された。ソ連など東欧5か国軍がチェコ・スロバキアのプラハに戦車を進めた。論文はこのことを論じた。〈言葉は、どれだけ鋭くても、またどれだけ多くの人々の声となっても、一台の戦車さえ破壊することができない。戦車は、すべての声を沈黙させることができるし、プラハの全体を破壊することさえできる。しかし、プラハ街頭における戦車の存在そのものをみずから正当化することはできないだろう。自分自身を正当化するためには、どうしても言葉を必要とする。すなわち相手を沈黙させるのではなく、反駁しなければならない。言葉に対するに言葉をもってしなければならない。1968年の夏、小雨に濡れたプラハの街頭に相対していたのは、圧倒的な無力な戦車と、無力で圧倒的な言葉であった。その場で勝負のつくはずはなかった〉

うれしい観光バスからの手振り

〈10月22日〉快晴、秋の空高し、きらきら輝くような朝、通る人の顔が輝いているようだ。時代まつりの朝、那覇市長選、「オール沖縄」が勝利、そして京都大山崎町長選で勝ち、4人もの共産党議員（定数12人）が勝利、時代は動く。〃戦争NO！〃のプラスターを胸に、7時45分から9時まで、入れ替り立ち替りの11人＋ゴリちゃん＋ミディーちゃん＋ミニーちゃんで無言宣伝。「那覇市長選挙おめでとう」「大山崎で勝利」の看板も。スイスの土産話とお土産のチョコ、選挙勝利の話、時代祭のグロテスク、ジュリーコンサートのようすのミニレク。

21日「朝日歌壇」《当選を祝いて踊る沖縄は悲しみの日も踊りしと聞く（桑内繭）》永田和宏選評「玉城デニー氏が辺野古反対を訴えて知事選に勝利。晴れやかな踊りだったが、沖縄の人々は悲しみの日にも踊って来たと」。

〈10月29日〉曇りの寒い朝、樹の紅葉急に進み秋深し。〃9条守れ！〃のプラスターを胸に、7時40分から9時まで、入れ替り立ち替りの10人＋ゴリちゃん＋ミディーちゃん＋ミニーちゃんで無言宣伝。黒豆の枝豆と万願寺甘唐、東山区と左京区の京都市会議員選挙の動きについてミニレク。東から来るバスの運転手、ヘッドライトを点け、かつ上げ下げで合図。金閣寺に向かう観光バスから何人もの人が手振り、うれしい。

28日「朝日歌壇」《基地に触れぬ卑怯《ひきょう》な側に「喝！」入れし沖縄の民に家族で「あっぱれ！」（遠藤昭）》佐佐木幸綱選。

「朝日俳壇」《戦争と平和の空や蜻蛉《とんぼ》飛ぶ（森住昌弘）》大串章選評「戦争を繰り返す国、平和を守り抜く国。空は限りなく広い」。

〈11月5日〉曇りや晴天が表れては消える寒い朝。〃辺野古の海を埋め立てるな〃のプラスターを胸に、

7時45分から9時まで、入れ替り立ち替りの9人＋ゴリちゃん＋ミディーちゃん＋ミニーちゃんで無言宣伝。秋田土産あり。憲法と自衛隊、Xバンドレーダー基地、京都市学校歴史博物館、マダムのコンサート、与那国の町議選、沖縄知事選の現地報告と盛りだくさんのミニレク。通りがかりの女性、頭を下げてくださり、「ご苦労さま」と声かけ。車のクラクションを鳴らして合図、通勤の人6人、会釈・声掛け。何台かの観光バスから手振り。

4日「朝日歌壇」《オスプレイ飛行ルートか山頭火句碑めぐる町に機影が三つ（西向聡）》高野公彦選。

〈11月12日〉晴れときどき曇りの寒い快適な朝、空がうろこ雲になったり、晴れあがったり。飛行機雲が鮮やか。〃NO BASE HENOKO〃のプラスターを胸に、7時40分から9時まで、上京区、伏見区からの新しい人2人を含む入れ替り立ち替りの12人＋ゴリちゃん＋ミディーちゃん＋ミニーちゃんで無言宣伝。マダム加わる。信州のこと、画家・小野竹喬について、音楽会のこと、映画『華氏119』のこと、保育園のバザーのことなどミニレク。観光バスからの手振り今日も。頭を下げてのご挨拶、同意の笑顔、出勤途中の大学の先生、わざわざ寄って来て激励の声かけ。5年の継続の結果か。

11日「朝日歌壇」《辺野古の海を埋め立てる土砂は本土から買い持ち込むと言う（木村義熙）》永田和宏選、《ラッセル・アインシュタイン宣言に湯川の名もありし一九五五年（米澤光人）》永田和宏選。

「朝日俳壇」《七五三憲法九条第一項（伊藤とし昭）》長谷川櫂選。

〈11月19日〉雨がそぼ降るような暗い朝の空、冷たい。〃国家の私物化を許さない〃のプラスターを胸に、7時45分から9時まで、香川県からの人を含む入れ替り立ち替りの12人＋ゴリちゃん＋ミディーちゃん＋ミニーちゃんで無言宣伝。コンサートのこと、明治2年の番組小学校の歴史について、ハンセン病のこと、ユン・ドンジュの写真と詩碑などのミニレク。

通り過ぎる自転車からの手を挙げての会釈、スタスタと歩く女性の頭下げ、通る人の声かけ、今朝も。

18日「朝日歌壇」《アメリカがサウジに売るは武器にして日本が買うは防衛装備（清水節雄）》永田和宏選評「この言い換えにこそ注意が必要」、佐佐木幸綱選評「日本もサウジもアメリカから多くの兵器を買っている」。

〈**11月26日**〉寒さ厳しい。〝安倍政権を終わらせよう〟のプラスターを胸に、7時40分から9時まで、信州からの人ふくめ、入れ替り立ち替りの13人＋本物の犬＋ゴリちゃん＋ミディーちゃん＋ミニーちゃんで無言宣伝。カルロス・ゴーン逮捕の背景、無言宣伝5年のこと、信州の9条の会についてミニレク。温かいハーブティーとリンゴの差し入れあり。「署名したいのですが」と寄ってきた人、ニコニコ顔で寄って来た男性、丁寧なごあいさつの女性、会釈、頭下げ何人も。

25日「朝日歌壇」《沖縄の民の意思を汲まずして寄り添うというは如何なる策か（南條憲二）》馬場あき子選、《本当にやる気あるのか核禁止出来ない理由ばかり並べる（二宮正博）》佐佐木幸綱選。

「朝日俳壇」《戦死者の本音聞きたし虫の声（宮川一樹）》大串章選。

5年前（2013年）の11月末、無言宣伝（最初は「1人宣伝」と称した）は始まった。特定秘密保護法が国会を通らんかという緊迫した状況下、「一人宣伝」は12月6日の参院通過まで毎日続き、フェイスブックで発信を続けた。僕の身体的特徴から、「無言」の宣伝だった。胸に、「異議あり！秘密保護法」「NO！秘密保護法」「なくせ 秘密保護法」、「ダメ！秘密保護法」「不要 秘密保護法」「退治！秘密保護法」などと書いたものを下げた。以来5年、「微力かもしれないが、無力ではない」の行動を続けてきた。道、いまだ達成できず。

〈**12月3日**〉厚い雲、雨がそぼ降る駅ひろば。ずーと冷たい小雨が降っていた。〝非戦〟のプラスターを胸に、7時40分から9時まで、3年ぶりという人含め入れ替り立ち替りの9人＋ゴリちゃん＋ミディーちゃん＋ミニーちゃんで無言宣伝。「雨の中、ご苦労さま」の声かけ、わざわざ寄って来て、満面の笑顔であいさつ。車のスピードを緩めて、手をあげてのあいさつ。

2日「朝日歌壇」《メキシコにモーセなくとも乳と蜜流れる国がそこにあるのだ（中村幸生）》永田和宏選評「移民が米国境で立ち往生。モーセが海を割ったように『壁よ開け！』と」。

「朝日俳壇」《逃げもせず戦ひもせず枯野かな（大村森美）》長谷川櫂選評「逃げないが戦わないのか、戦わないが逃げないのか。後者であってほしい」。

12月31日が月曜日なので本来は無言宣伝日だが、1日延期して、1月1日正午から1時まで無言宣伝。拡声器、チラシ撒き、音楽なんでも。1年の計は元旦にあり。

〈12月10日〉 寒い冬の朝、今にも雨が来そうな空、今季初めてのカイロ8枚。〝ダメ！改憲〟のプラスターを胸に、7時40分から9時まで、入れ替り立ち替りの10人＋ゴリちゃん＋ミディーちゃん＋ミニーちゃんで無言宣伝。学生・生徒少なし。顔なじみの人7人、変わらず会釈、声掛け、ハイタッチ嬉しい。観光バス何台も。外国人観光客、何組も。

9日「朝日歌壇」《改憲し防衛装備した後に平和が来ると誰も思えず（津田甫子）》高野公彦選評「防衛力強化はかえって平和を揺るがす」、《恋人を思い浮かべる顔をして母語り出す戦死の兄を（小林加津美）》永田和宏選評「永遠の恋人のように思う母の気持ちもわかるが、兄に対する微かなジェラシーも」。

「朝日俳壇」《沖縄の民意埋め立て冬の海（佐藤茂）》長谷川櫂選。

〈12月24日〉今日は振替休日のクリスマス・イヴ、赤い帽子をかぶった僕、明日は「終い天神」。〝有終の美〟で飾ろうと、2018年最後の無言宣伝、天が味方をしてくれたのか、雲間から太陽燦燦、しかし寒い。〝そだね～　改憲NO！〟のプラスターを胸に、11時45分から13時まで、入れ替り立ち替りの14人＋ゴリちゃん＋ミディーちゃん＋ミニーちゃんで無言宣伝。四つ角に「アベ政治許さない」や「9条改憲NO」などのプラスター。1月1日の「無言、ではいられない」の行動、絵手紙全国コンクールで優秀賞に選ばれたことのミニレク。通りがかりの男性から「頑張ってください」の声を貰い、お母さんに手を引かれた双子の3歳児、僕を見つめる。2階だてのレストランバスから手振り。

23日「朝日歌壇」《反戦を忘れるなよとめぐりくるわが生まれ日の十二月八日（野見山弘子）》佐佐木幸綱選、《故郷を守れと辺野古に座り込む熱き心のおじいおばあよ（豊宣光）》高野公彦選。
「朝日俳壇」《十二月八日忘れじ改憲論（青島ゆみを）》大串章選。

〈12月30日〉僕の2018年の10大ニュース
▽毎月の第1土曜日の「白梅町憲法カフェ」が2年目を迎えた。町、村に数限りなく憲法を学び討論する場を。▽国立京都美術館、京大総合博物館（ノーベル化学賞受賞記念）、学校歴史資料館、高麗美術館

（白磁）、承天閣美術館、ハリス理化学館同志社ギャラリー（学徒出陣75年）、茶道資料館、京都市考古資料館、佛立ミュージアム、平和ミュージアム、堂本印象美術館、高島屋（ピュリツアー賞受賞沢田教一写真展）などで絵画、工芸品、写真を愉しみ、『タクシー運転手』『華氏119』などの映画を鑑賞した。▽映画『ショア』の上映、相模原事件から2年の講演会、松元ヒロパフォーマンス、加藤周一没後10年講演会などに友人と取り組んだ。大きな出来事の意味を考えた。

▽『もう一つの明治維新150年』と題する短文を毎月書いた。書くにあたって留意したのは、そのことに僕が何らかの関係をもっていたということと明治期4つ、昭和の戦前期4つ、戦後期4つに分けた▽ほぼ毎朝、連れ合いの肩を借りて、家の周りを15分ほど歩く。僕の歩行訓練だ。

〈12月31日〉 続▽全国障害者問題研究会が埼玉県で開かれたので、人の車で、何年も前からの憧れの地である秩父事件の現場を訪ねた。▽「150冊の本を読み、100冊を書評する」という自分に課した目標を果たすことが出来た。▽『燎原』『紫式部』など6紙誌に筆を執り、「兵庫」「鹿児島」（福祉生協の創立総会）や障害者団体の「シンポジウム」（きょうされん全国大会）「大学」「専門学校」でお話しをした。刺激を受けた機会だった。言語障害を持つ身であることを承知で声をかけてくださったことに感謝。▽春夏秋冬、毎週月曜日の無言宣伝を続けられた（秩父に行った時は欠席）。時には「無言、ではいられない」の取り組みもした。白梅町は「アゴラ」だった。▽入院することのない年だった。「死んでる暇がない」2018年が暮れる。

「明文改憲を許さない」の思いを強く　2019年

〈1月1日〉新年、2019年最初の無言宣伝、晴れ渡る空。初詣の人多し、声掛け、会釈も多数。〝アベ政治を許さない〞のプラスターを胸に、11時30分から13時15分まで、広島の人含め25人＋ゴリちゃんで「無言、ではいられない」の無言宣伝。あちこちに「辺野古への土砂投入ヤメロ」や「9条改憲NO」などのプラスター。大学教員の細川孝さんが憲法9条について、浜田良之府議、井坂博文市議の2人が府市政について、山本道子さんが沖縄問題について、岸本正義さんが年金問題についてスピーチ、長野たかし&森川あやこデュオ、阿部ひろえさん、「ハーモニカのまっちゃん」のストリートミュージックが白梅町に響いた。イズミヤの買い物帰りの女性が寄って来て、ニッコリしながら、「新年からご苦労さま」の声かけ、4点杖の女性が会釈、声掛け。

〈1月7日〉今日が事実上の仕事始めか、人多し。雲なく快晴の冬の朝空、カイロ8枚。〝戦争加害を繰り返すな！〞のプラスターを胸に、7時45分から9時まで、11人＋ゴリちゃん＋ミディーちゃん＋ミニーちゃんで無言宣伝。あちこちに「日本に基地はいりません」や「辺野古に土砂投入無法」などのプラスター。お正月に故郷に帰っていた人からお土産。ゴリパパの家の隣に住んでいる人、ゴリちゃんが家の前に鎮座している写真を見せてくれる。会釈する人多数、ハイタッチ1人。

6日「朝日歌壇」《国会も煽《あお》り運転実施中喫緊だからと数の力で（前野平八郎）》永田和宏選。

「朝日俳壇」《難民移民いのちの星の年新た（川島隆慶）》大串章選。

〈1月21日〉晴れ渡る冬の朝空、しかし、息は白濁、カイロ8枚。〝通すな9条改憲〟のプラスターを胸に、7時45分から9時まで、新しい人含め10人＋ゴリちゃんで無言宣伝。あちこちに「アベ政治は不要」や「原発再稼働するな」などのプラスター。絵手紙コンクール入選表彰式の様子、琵琶湖疏水の開削、日ロ会談の危険などのミニレク。通りかかった自転車女性、手を振ってくれる。

20日「朝日歌壇」《寄り添ふといふ言の葉は枯れて散り辺野古の海は陸になりゆく（荻原葉月）》永田和宏選評「…寄り添ふと言いながら、民意に反して辺野古の埋め立てが進む」。

明日22日は「日ロ首脳会談」、「主権」があいまいなまま、「平和条約締結」で「2島返還」が安倍総理の「策」らしい。「2島返還論」の結果、「2島」も返って来ないこともある。「平和条約締結」とセットという愚策＝「国土」「領土」をあたかも「私物」のように扱い、外国にひき渡すという「売国行為」ゆるすな。

「毎月勤労統計」のズサンと改竄、誤りが2000万人の国民に損失を与え、国政を揺るがしている。国会開会を待つことなく、真相解明の歩みを。

雪残る道ふみ宣伝へ向かう

〈1月28日〉前日の雪残る道ふみ宣伝へ。冬の雲の朝空、息は白濁、カイロ8枚。〝共に生きる〟のプラスターを胸に、7時45分から9時まで、11人＋ゴリちゃん＋ミディーちゃん＋ミニーちゃんで無言宣伝。あちこちに「アベ政治は不要」や「辺野古を埋めるな」などのプラスター。沖縄土産多数、辺野古の最新情報のミニレク2人から。井坂洋子さん、壱岐焼酎でハッピバースデー。正面からのタクシーがヘッドライトを挙げて合図、「寒くなりましたから、身体に気をつけてください」の声かけ、通りかかりの男性が会釈してくれる。

〈2月4日〉雨が降ったり晴れたりの朝、快晴の時は遥かなる空に飛行機が一機、太陽の光を反射して輝く。カイロ8枚。〝総辞職せよ〟のプラスターを胸に7時40分から9時まで、入れ替り立ち替りの人10人＋ゴリちゃん＋ミディーちゃん＋ミニーちゃんで無言宣伝。何時もの人何人も顔を見ず。ハイタッチ1人、会釈1人。

　3日「朝日歌壇」《「美しい国」には入っておらぬとみえ土砂を投げ込み美《ちゅ》ら海《うみ》殺す（村松建彦）》高野公彦選評「著書『美しい国へ』を出した政治家が沖縄の海を汚すとは、という批判」。

「朝日俳壇」《年の豆焼きつくし焼夷弾（片岡マサ）》長谷川櫂選評「『三月、大阪大空襲』とある。目のつけどころがいい」。

　米国に続いてロシアもＩＮＦ（中距離核戦力全廃条約）から離脱する方針を明らかにした。危険、大反対。

氷雨をついて〝壊憲不同意〟

〈2月11日〉氷雨ふる。傘さす人の駅ひろば、寒い、カイロ8枚。〝壊憲不同意〟のプラスターを胸に、11時45分から1時まで、入れ替り立ち替りの人9人＋ゴリちゃん無言宣伝。府会議員の浜田さん、ゴリパパ、岡根さんが拡声器で訴え、白梅町駅について、台風被害についてミニレク。会釈する人数人、近寄ってニッコリ挨拶する人3人、ゴリちゃんをしげしげ見る人1人、観光バスからの手振りも。〝うたをよむ「檻」を破れるか　窪島誠一郎〟《…「無言館」の近くに、金子兜太氏揮毫による「俳句弾圧不忘の碑」が建っている。…何やらあの時代の匂いがしてくる昨今、おまえの手でこの檻を破れるか、兜太ロスから未だ立ち直れぬ人への、無言の問いかけである。（「無言館」館主、作家）》

　10日「朝日歌壇」《また数だ「ＬＧＢＴ増えた」ってひとりのために人権あるを（山崎垂）》佐佐木幸綱選。

「朝日俳壇」《原発をなほも輸出の寒さかな（萩原葉月）》長谷川櫂選。

2回目の米朝会談がハノイで開かれる。実りあらんことを。

〈2月18日〉　晴れ上がる空の輝き飛行雲、カイロ8枚。〝アベ政治を許さない〟のプラスターを胸に、7時45分から9時まで、入れ替り立ち替りの10人＋ゴリちゃん＋ミディーちゃん＋ミニーちゃんで無言宣伝。新しい年度から、嵐電白梅町駅の建て替え工事が始まる。京都市と京福電鉄の合同事業。①改札口を取り払い線路とホームを覆っている建物をなくす②いま二つあるホームを一つにし北側のホームあとをバスの発着場に変える③ホームに上がるスロープを南に移す④現在地でトイレを改修する。僕らは、京都市に説明会の開催を求めている。ヨウ素剤配布、白血病と原発事故との関係、マダムのホームコンサートの報告のミニレク。ニッコリする人2人、看板を読む人も。ハイタッチ1人。

17日「朝日歌壇」《戦争に「どちらでもない」はなかった　基地ある限りどちらしかない（加古裕計）》永田和宏選評「沖縄の県民投票。どちらでもないという保留票が加えられた不思議」、《長き戦後まだまだ続け自衛官の息子戦わず定年になる（猪野富子）》佐佐木幸綱選評「戦後よ長かれとの重い祈りが伝わってくる」。

「朝日俳壇」《浮浪児を埋火《うずみび》のごと忘れさる（奥名房子）》高山れおな・大串章選。

〈2月25日〉　晴天、飛行機雲ひとすじ、今日25日は北野の天神さんの「梅花祭」、境内は梅の香り一杯。カイロ8枚。昨24日は沖縄県で、辺野古米軍新基地建設の是非を問う住民投票日、50％を超えた投票率、40万票を超えた〇…埋め立て反対が多数。埋め立て、米軍新基地建設ヤメロ！〝祝〟のプラスターを胸に、7時45分から9時まで、入れ替り立ち替りの人11人＋ゴリちゃん＋ミディーちゃん＋ミニーちゃんで無言宣伝。投票結果、白梅町駅改修、冊子の編集、『宝島』

の読み応え、ジュリーの魅力、認知症、介護保険についてミニレク多数。会釈、文字読む人何人か。

24日「朝日歌壇」《やっている事は支持せずやっている人は支持する不思議な世論（鵜飼礼子）》高野公彦選評「その政策や行動を認めず、しかしその政治家を支持し続ける、不思議な国民への疑念」

「朝日俳壇」《春寒や麒麟の空をオスプレイ（稲垣長）》大串章選。

〈3月4日〉 雨が降っている朝の空、時々雨やむ、

カイロ8枚。〝殺すな殺されるな〟のプラスターを胸に、7時45分から9時まで、入れ替り立ち替りの11人＋ゴリちゃんで無言宣伝。与那国島の山田和幸さんから送って来たタンカンの配布。冊子『もう一つの明治維新150年』、白梅町駅改修についてミニレク。傘をさした女性が寄って来てカンパをくれる、うれしい。ハイタッチの通行人、プラスターをじっくり読んでくれる人、会釈してくれる人も。

3日「朝日歌壇」《どの国の利益を守るためなのか防衛費27兆円は（康哲虎）》高野公彦選。

「朝日俳壇」《海神を殺す杭打つ春日かな（野上卓）》長谷川櫂・高山れおな選、長谷川櫂選評「海を埋め立てる人々への一句」

米朝会談、合意文書採択できず。

〈3月11日〉 降り続く雨、厚い雨雲、道行く人の顔も暗し。東北大震災、大津波、原発大事故から8年の日、感慨一入、カイロ8枚。〝原発NO！〟のプラスターを胸に、7時45分から9時まで、入れ替り立

ち替りの9人＋ゴリちゃんで無言宣伝。マダムのレターを読み上げてミニレク。クラクションを鳴らしての合図、「おはようございます」の丁寧なあいさつ、カンパも。

10日「朝日歌壇」《原発の燃料デブリに触れ初めたり冥《くら》くて遠き廃炉への道（諏訪兼位）》馬場あき子選評「先日、福島原発のデブリに初めて触れ、これからどんな道程が予定されるのか」、佐佐木幸綱選評「二月に福島第一原発二号機で、焼け落ちた核燃料に初めて触る調査が行われた。先は長い」。

「朝日俳壇」《兜太忌や地球に戦争あるかぎり（三十田燦）》長谷川櫂選。

沖縄県民は辺野古新基地拒否

〈3月18日〉晴れた雲一つない朝の空、飛行機雲くっきり、春はすぐそこ、合言葉は〝希望〟、カイロ6枚。〝世直し〟のプラスターを胸に、7時45分から9時まで、入れ替り立ち替りの12人＋ゴリちゃん＋ミディーちゃん＋ミニーちゃんで無言宣伝。ゴリパパ、新しい横断幕「アベ政治を終わらせよう」などを4枚、「春疾風ウソつきアベを連れてゆけ」などのプラスター2枚も作ってくれる。地方選、「無言、ではいられない」のミニレク。クラクションを鳴らしてくれる人、自転車から会釈してくれる人、寄って来て激励の声をかけてくれる人……。

17日「朝日歌壇」《県民の意志より優先すべきもの他国の基地であるわけがない（島村久夫）》永田和宏選評「『他国の基地』建設が県民の意志より優先するというのが、この国の現実か」。

「朝日俳壇」《沖縄の民意本土へ春一番（宮川一樹）》長谷川櫂選。

ニュージーランドで大量殺害事件、「排除の思想」は他人事ではない。

〈3月25日〉晴れ、梅が散り始め、桜は咲き始める。今日は天神さんの縁日、祭神・菅原道真の月命日、カイロ6枚。〝くらしの春を！〟のプラスターを胸に7時40分から9時まで、与那国島からの山田和幸さんのサプライズ参加をふくめて10人＋ゴリちゃん＋ミディーちゃん＋ミニーちゃんで無言宣伝。原発再稼働のこと、最新の選挙情勢、奄美大島など琉球弧の軍事化、与那国島の暮らしなどのミニレク。観光バスからの手振り、じっくり読んでの同意、何人かのうなずき…。

24日「朝日歌壇」《米軍機過ぎたるのちを見上げをりどこまで上れば日本の空か（原田なつ子）》佐佐木幸綱選。

今週金曜日の29日に、都道府県議選と政令市議選の議員選が始まる。政権とアベ政治に異を唱える結果を求めるや、切。

ことごとく民意無視して春は進む

〈4月1日〉春はすすむ、はじめは朝陽燦燦、のち雲、花冷え、カイロ6枚。〃ウソはダメ〃のプラスターを胸に、7時40分から9時まで、10人＋ゴリちゃん＋ミディーちゃん＋ミニーちゃんで無言宣伝。スペインからの2人、東映の監督、参加者と親しい女性、マダムと多士済々のお客さん、うれしい悲鳴。間もなく、新元号の〃発表〃（勝った勝ったの大本営発表みたい。天皇が時間も支配しているという考え＝謬論に基づく）、エイプリルフールの珍事。原発再稼働のこと、最新の選挙情勢、フェミニズム裁判などのミニレク。観光バスからの手振り、会釈何人も、「ご苦労さま」の声かけ、笑顔での同意2人、うれしい。

31日「朝日歌壇」《ことごとく民意をないがしろにして真摯に寄り添うトランプさんに（寺下吉則）》高野公彦選。

「朝日俳壇」《福島に止まつたままの春惜しむ（佐藤茂）》長谷川櫂選。

〈4月8日〉はじめ快晴、のち曇り、カイロ3枚。〃祝〃のプラスターを胸に、7時45分から9時まで、入れ替り立ち替りの11人＋ゴリちゃん＋ミディーちゃん＋ミニーちゃんで無言宣伝。昨7日、前半の地方選の投開票日、「アベ政権」勢力に打撃。浜田府議、井坂市議、マダムも参加、握手と拍手で当選間もない2人を労い激励。選挙についてのミニレクが続く。観光バスからの手振り何人も。会釈、「ご苦労様でした」の声も。

7日「朝日歌壇」《出る杭は打たれると言ふさはあれど用なき杭の海に打たるる（千葉俊彦）》馬場あき子選評「第二句までに出る杭の諺《ことわざ》を出して、それとは違う辺野古の海に打たれる数万本の杭を憂える」。

〈4月22日〉 曇り空、時々朝の空、人の顔が晴れやか。沖縄3区の衆院選勝利、地方選で自民勢力後退、改憲反対の民意顕著。〝祝〟のプラスターを胸に、7時45分から9時まで、新しい参加者含め入れ替り立ち替りの13人＋ゴリちゃん＋ミディーちゃん＋ミニーちゃんで無言宣伝。4月29日の「無言、ではいられない」と「蕎麦を楽しむ会」、選挙の様子などのミニレク。観光バスからの手振り、近寄って来ての声掛けも。

21日「朝日歌壇」《とりかへしつかぬ過誤なり今帰仁《なきじん》の沖に傷もつジュゴンのむくろ（酒井忠正）》、《横田基地ドンキホーテの四階ゆ眺むれば闘志みなぎる軍機に兵士に（川元源一）》馬場あき子選、《改憲の足踏み今をたとへれば警報機鳴る踏み切りの前（井上孝行）》高野公彦選。

「朝日俳壇」《沖縄をのこし憲法記念の日（佐藤茂）》長谷川櫂選。

入れ替り立ち替りに

〈4月29日〉 雨が降るようなどんよりした厚い雲、寒い。10連休の最中、明日30日は「平成天皇」引退日。加われない平成令和の大合唱。〝アベ政治を許さない〟のプラスターを抱え、11時45分から1時まで、埼玉からの参加者など入れ替り立ち替りの30数人＋ゴリちゃんで「無言、ではいられない」の無言宣伝。地域の9条の会の大学教員が奨学金に追い詰められる学生の状況を語り、弁護士が代替りの伴う憲法状況を訴え、市民が生活保護と裁判について語り、政治家が消費税や自治体の自衛隊協力を解き明かした。シャンソンが流れるなど、駅前広場はアゴラ。何人もの人が握手を求め、外国人観光客は親指を挙げて合図。

28日「朝日歌壇」《命令を承って温和《おとな》しくしてろと言っているのか「令和」（須原りえ）》高野公彦選、《先ず浮かぶ命令指令戒厳令国民徴用令もありました（前島正治）》永田和宏選。

「朝日俳壇」《襤褸《ぼろ》のごと戦火の服や更衣《ころもがえ》（片岡マサ）》長谷川櫂選、《遠足の列に軍靴の音を聞く（田中靖三）》大串章選。

〈5月6日〉 10連休の最後の日、暑いぐらいの曇り空、〝殺すな殺されるな〟のプラスターを胸に、所用のために遅れて参加、12時5分から1時まで（休日ゆえに）、2人の新しい人含め、入れ替り立ち替りの14人＋ゴリちゃん＋ミディーちゃん＋ミニーちゃんで無言宣伝。長野たかし＆森川あやこデュオの歌声とギターの音が、昼下がりの白梅町に広がり、マダムのソプラノが流れた。2階建観光バスからの手振り、通る人の会釈声掛け嬉しい。

5日「朝日歌壇」《戦争で多くの人が平成や令和も知らず命を落としき（小島敦）》高野公彦選評「戦死した人々はそこで時間がストップし、平成も令和も知らない。年号を通して多数の戦死者たちを悼む歌」。

「朝日俳壇」《ふと不意にエノラ・ゲイの名母の日来（野原武）》高山れおな選

〈5月13日〉 晴れ、雲の少ない汗ばむような朝、吹き抜ける風が気持ち良い。〝平和〟のプラスターを胸に、7時40分から9時まで、入れ替り立ち替りの14人＋ゴリちゃん＋ミディーちゃん＋ミニーちゃんで無言宣伝。絵手紙、新事務所、原発避難者についてミニレク。観光バスがラッシュアワーのようにとおり、僕らはこれに向かって手振り。歩く中学生の男女5人、聞くと山梨から来てこれから龍安寺に行くとか、「写真を撮っていいですか?」と聞くので、「どうぞどうぞ!」と返事、短時間の交流。いいなー。

12日「朝日歌壇」《新元号決めて奇妙に明るめる政府に冷えピタのようにイチロー（中原千絵子）》永田

和宏選評「国民栄誉賞辞退のイチローは政府に冷水を浴びせた?」、《大化から二百四十八番目吾が墓標にも書かれる「令和」（荻原忠敬）》永田和宏・高野公彦選、《原発もＰＣＢも令和へと廃棄物処理の引き継ぎ（隈元庸哉）》佐佐木幸綱選。

「国賓」としてトランプ氏来日

〈5月27日〉青空に飛行機雲10幾つか、曇り時々晴れ、かつ異例の暑さ、水銀柱が昇りそうな予感、熱中症対策に飲み物を持参。〃過半数を超える〃のプラスターを胸に、7時40分から9時まで、入れ替り立ち替りの13人＋ゴリちゃん＋ミディーちゃん＋ミニーちゃんで無言宣伝。蕎麦を食べる会、新しくなった事務所にまつわる幾つかの話のミニレク。顔なじみになった5人とあいさつ、今朝はどうしたことか観光バスも少ないし、観光客も少ない。

26日「朝日歌壇」《初めての沖縄走るとカーナビの片側消えてずーっと米軍（鈴木道夫）》高野公彦選、《命令は政令は和にゆきつくか今日も辺野古の海に土砂埋め（幅尾茂隆）》馬場あき子選。

「朝日俳壇」《沖縄をささげ憲法記念の日（佐藤茂）》《戦争の尻尾や憲法記念の日（森川忠信）》長谷川櫂選。

国賓として来日したトランプ大統領が、安倍総理をしたがえ、米軍と自衛隊を前にして、自衛隊の艦船上で演説するとか。

〈6月10日〉雨にけむる朝、蒸し暑い朝、〃国民を舐めるな!〃のプラスターを胸に、7時45分から9時まで、信州からの客人など入れ替り立ち替りの14人＋ゴリちゃん＋ミディーちゃん＋ミニーちゃんで無言宣伝。ジュリーコンサート、入院、参院選の歴史、参院選の文化分野、少年サッカー、救急車を呼んだ経験などのミニレク。声かけ、会釈、頭下げ、看板を読む人……引きもきらず。

9日「朝日歌壇」《一票の重さを思う「戦争で島取り返せ」と語る議員に（篠原俊則）》永田和宏選。

「朝日俳壇」《水面よりたくさんの手や沖縄忌（仲

村初穂）》高山れおな選。

〈6月17日〉そよ風が吹き抜ける駅の朝。晴れた空、肌寒い朝、抜ける風。陽《ひ》燦燦《さんさん》心地よい風肌寒い。〝Let's make KYOTO Future 京都の未来をつくろう〟と書いたプラスターを胸に、入れ替りの13人＋ゴリちゃん＋ミッキーちゃん＋ミニーちゃん＋新顔の白うさぎのしろっきーちゃん＋チコちゃんで無言宣伝。旅行先のパリの様子、相模原殺傷事件、原発事故、文化分野の集会、年金の諸問題、青森・秋田の様子についてのミニレク。3人が会釈、自転車女性の声かけ、学生の姿見えず。

16日「朝日歌壇」《のったりと空母ロナルド・レーガンが横たわる景横須賀の夏（しんどう藍》永田和宏選。

〈6月24日〉どんよりした雲がかかる7時台、晴れ渡る空の8時台、むしむしする朝。梅雨入り宣言なき梅雨か、通る人の足取り軽やかならず。〝御意〟と書いたプラスターを胸に、入れ替り立ち替りの13人＋ゴリちゃん＋ミッキーちゃん＋ミニーちゃん＋新顔の白うさぎのしろっきーちゃん＋チコちゃんで無言宣伝。旅行先の済州島《チェジュ》の様子のミニレク。顔なじみの顔見えず、寂しい。会釈する人何人か、しかしながら声かからず。

23日「朝日歌壇」《オバマ氏は広島へ来しがトランプ氏はゴルフに興じ大相撲観る（岡田独甫）》高野公彦選、《弾《たま》となり人殺せしか我が寺の供出させられし釣り鐘は（岡田独甫）》馬場あき子・永田和宏選、永田和宏選評「当然の如き供出だったのだろうが、その用途を思えば忸怩《じくじ》たるものが」。

28、29日の両日、大阪で、G20の首脳会議が開かれる。「世界平和」に逆行する今日、責任は大きい。

セミの初鳴きに夏を感じる

〈7月8日〉昨朝セミが初鳴き、初夏の日差し、暑いぐらい。〝安倍は辞めろ〟と書いたプラスターを胸に、入れ替り立ち替りの11人＋ゴリちゃん＋ミッキーちゃん＋ミニーちゃん＋白うさぎのしろっきーちゃんで無言宣伝。沖縄と北海道のお土産。沖縄のおばあの様子、参院選の状況のミニレク。観光バスからの手振り、声をかけてくれる人、近くの事業所に勤める人が会釈、ハイタッチも。

7日「朝日歌壇」《大規模デモが政府の方針変えさせた驚きと希望この国に無縁か（森谷佳子）》、《憲法はアクセルじゃない逆走と暴走防ぐ非常ブレーキ（佐武次郎）》永田和宏選。

「朝日俳壇」《沖縄忌昭和の針は動かざる（岡崎実）》大串章選。

〈7月15日〉 明日16日は祇園祭の宵山、宵々山の今日、浴衣姿の若者何人か。どんより雲が空を覆い、今にも降りそうな空。〝アベ政治を許さない〟と書いたプラスターを胸に、11時45分から1時まで、入れ替り立ち替りの16人＋ゴリちゃん＋ミッキーちゃん＋ミニーちゃん＋白うさぎのしろっきーちゃんで「無言、ではいられない」の無言宣伝。大学生の学習環境の貧困を訴える大学教員、老後不安を告発し、年金充実を訴える年金者組合の役員、核兵器廃絶に向かわない日本政府を告発する京都市会議員、歌と楽器で参加するシンガーソングライター、チラシをまく人、何人もの通行人と対話する参加者。「がんばってください」「ご苦労さま」と声をかける人、立ち止まって会釈する人何人か。看板をじっくり読む人何人も。

14日「朝日歌壇」《心にグサッ、小学生の朗読は「沖縄にほんとうの幸わせ」（山田道子）》馬場あき子選、《ノモンハンガダルカナルにインパールレイテオキナワヒロシマナガサキ（山本登）》馬場あき子選評「カタカナだけの地名の列挙で伝わるものは何か」。

「朝日俳壇」《折りくれしオバマの鶴よ原爆忌（朝田冬舟）》大串章選評「オバマと対照的なトランプの外交政策。改めてオバマの人間性を思う」。

〈7月29日〉 暑い、むしむし、汗が噴き出るよう。学生、社会人の姿激減。京都アニメ事件での死者が

35人にも。〝安倍は辞めろ〟と書いたプラスターを胸に下げて、入れ替り立ち替りの13人＋ゴリちゃん＋ミッキーちゃん＋ミニーちゃん＋白うさぎのしろっきーちゃんで無言宣伝。京都市長選、池添素さんの『いつからでもやりなおせる子育て　第2章』についてミニレク。自転車女性3人会釈、歩行会釈3人、観光バスからの手振りも。

28日「朝日歌壇」《共通語でシマクトゥバでアメリカ語で礎《いしじ》に誓ふ玉城デニーにどよめき（和田静子）》高野公彦選評「沖縄慰労の日（6月23日）に平和の礎前で戦死者たちに誓ったデニー知事の、共通語・島言葉・英語の見事さ」。

「朝日俳壇」《九条のシュプレコール梅雨の月（大澤都志子）》大串章選。

五山送り火にいのちを思う

〈8月12日〉 お盆、常とは違う通行人、猛暑日。暑い、汗が噴き出る。〝アベ政治を許さない〟と書いたプラスターを胸に、正午から1時まで、大阪からの参加者迎え、入れ替り立ち替りの12人＋ゴリちゃんで、「無言、ではいられない」の無言宣伝。宗教者平和協議会の人が「核兵器廃絶」の展望を語り、ミュージシャンがギターを奏で歌声を響かせ、「壊憲」の動きの危険を告発、チラシを撒き、署名の重要性を訴えた。ベトナムからの観光客が話しかけ、写真を撮ってくれた。会釈する人数人、声掛け2人。

11日「朝日歌壇」《生き物も民意も埋めてたんたんと辺野古の海は陸になりゆく（荻原葉月）》馬場あき子選。

「朝日俳壇」《戦争が老いてゆくなり終戦日（吉田かずや）》長谷川櫂・高山れおな選。

16日は京都五山の送り火、その炎を見て、人と死者に想いをはせます。今週の日曜日に「壊憲ダメ！松元ヒロライブ」をやります。ご参加をお待ちしています。

〈8月19日〉 台風一過、されど暑い。人も車も少ない朝。菅笠を頭にのせ、水分補給の準備もする。〃表現のフフフ自由展〃と書いたプラスターを胸から下げて、7時40分から9時まで、東京から参加のご夫婦を含め、入れ替り立ち替りの13人＋ゴリちゃん＋ミッキーちゃん＋ミニーちゃん＋白うさぎのしろっきーちゃんで無言宣伝。ゴリパパ、検査入院。会釈する人数人、走るバイクからクラクション、バスからの手振りも。「暑いのに」の声掛けがうれしい。

18日「朝日歌壇」《平分も投票をせぬこの国の半分消えている民主主義（田中正和）》高野公彦選、《さざれ石の心を持ちて恒久の平和を願ふわれは老いたり（神郡一成）》馬場あき子選。

「朝日俳壇」《かなかなや鬼哭啾啾《きこくしゅうしゅう》無言館（田中彼方）》長谷川櫂選。

「表現の不自由展」が中止に追い込まれた。この異常事態を「よし」とする権力も怖いし、中止に追い込んだ人びとの動きも怖い。戦後最大の「表現の自由」危機。「壊憲ダメ！　松元ヒロライブ」、１００人参加、笑いのうちに社会と人間を考えた。絶賛が嬉しい。

〈8月26日〉 爽やかな風吹き抜ける無言宣伝。晴れの朝秋の風吹きひと戻る。〃9条壊すな〃と書いたプラスターを胸から下げて、7時40分から9時まで、入れ替り立ち替りの11人＋ゴリちゃん＋ミッキーちゃん＋ミニーちゃん＋白うさぎのしろっきーちゃんで無言宣伝。ゴリパパパ、胃の全摘手術の説明、『京都民報』を広げて洛北サッカークラブ40年についてミニレク。「おはようございます」の声掛け、会釈何人も、振り返り見る人1人、観光バスからの手振りも。

25日「朝日歌壇」《いつもより力を込めて若和尚原爆投下の刻に鐘つく（岡田独甫）》高野公彦・馬場あき子選、《父は死に我は生きたり原子雲の下で二キロを離れただけで（大竹幾久子）》高野公彦・馬場あき子選。

「朝日俳壇」《父の骨なほジャングルに敗戦忌（坂田美代子）》大串章選。

日韓関係が緊張している。直接的には、昨秋の、韓国大法院の「徴用工」判決以降の「緊張」が、韓国の「GSOMIA」破棄決定に結びついている。侵略国の「心からの謝罪」こそが二つの国の政府の「和解」の前提だろう。

〈9月2日〉秋の風朝陽燦さん駅広場。〃継続は力なり〃と書いたプラスターを胸から下げて、7時40分から9時まで、入れ替り立ち替りの11人＋ゴリちゃん＋ミッキーちゃん＋ミニーちゃん＋白うさぎのしろっきーちゃんで無言宣伝。ミツバチが少なくなっている事、1か月の入院生活の振り返りと手術跡の披露のミニレク。ワゴン車の運転者の手振り、観光バスからの手振り、朝の挨拶、会釈。

1日「朝日歌壇」《「もう忘れ去られたころか」ひっそりと森友問題捜査を終える（篠原俊則）》永田和宏選評「忘れることは間接的な加担。更に、森友改竄《かいざん》の中核と財務省が認定した理財局元総務課長が捜査終了と共に駐英公使になって唖然《あぜん》」。

「朝日俳壇」《空蝉を数珠繋ぎする子や原爆忌（浅田護）》高山れおな選。

〈9月9日〉秋のはず、されど暑い。〃NO Abe 安倍〃と書いたプラスターを胸から下げて、7時35分から9時まで、左京区と中京区から初めて参加した人含め、入れ替り立ち替りの15人＋ゴリちゃん＋ミッキーちゃん＋ミニーちゃん＋白うさぎのしろっきーちゃんで無言宣伝。。嵐電駅舎の改修問題、西京区の平和の集いの大成功、胃がん全摘手術についてミニレク。西に向かう市バスのヘッドライトの上げ下げ、丁寧なお辞儀のあいさつ、握手を求める女性。ゴリちゃんを「可愛い」となでなでの女性、変わらぬ朝の白梅町。

8日「朝日歌壇」《ひと昔廊下の奥に立っていた「奴《やつ》」が鏡の中に微笑む（朝広彰夫）》馬場あき子選評「『戦争が廊下の奥に立ってゐた』という渡辺白泉の句を踏まえている。ここではその『奴』がにんまり笑っている不気味さ」、《本当にさふ思ふなら改憲は出来ない筈だ不戦の誓ひ（二宮正博）》永田和宏選。

「朝日俳壇」《戦中の標語脳裏に敗戦忌（藤井順子）》

大串章選評「『欲しがりません勝つまでは』など今も脳裏から消えない」。

アベ政治は許せない

〈9月16日〉秋の虫暑さ消えずに蒸す昼間。〃アベ政治を許せない〃と書いたプラスターを持ち、11時45分から1時まで、入れ替り立ち替りの16人＋ゴリちゃん＋ミッキーちゃん＋ミニーちゃん＋白うさぎのしろっきーちゃんで「無言、ではいられない」の無言宣伝。ゴリパパ、入院中。大学教員は高騰する学費を語り、京都府議会議員、京都市議は米軍基地の無法を語り、京都市長選の展望を語り、初参加の女性が仁和寺門前の宿泊施設建設計画の進行状況を告発、退職教員が平和のバトンタッチを語り、平和ネットの女性が原発の危険に警鐘を鳴らし、婦人団体所属の人が商品の安全を語り、ミュージシャンが自作を披露した。中国、イタリア、フィリピンからの観光客が「安倍は嫌い」と言ってくれ、何人もの人が会釈してくれた。

15日「朝日歌壇」《無言館打ちっぱなしのコンクリに谺《こだま》するなり無言の叫び（吉川清子）》高野公彦選評「戦没画学生たちの〈無言の叫び〉が今も信州上田の丘に響く」、《銃弾の飛ばぬ戦争はじまりぬ木槿《むくげ》の花の季節の末に（池田典恵）》永田和宏選。

「朝日俳壇」《赤紙や骨の散らばる天の川（岡村英）》大串章選評「天の川を見上げながら戦死した人たちを思っている。『赤紙』は軍の召集令状」。

千葉県などの深刻な台風被害、国民生活を困難に落としいれている。被災者に寄り添う救済を急げ。

〈9月30日〉空にイワシ雲、うろこ雲、ヒツジ雲が広がり、太陽は燦燦、暑い。〃消費税増税　絶対反対〃と書いたプラスターを胸に、7時45分から9時まで、沖縄の人など、入れ替り立ち替りの15人＋ゴリちゃん＋ミッキーちゃん＋ミニーちゃん＋白うさぎのしろっきーちゃんで「無言、ではいられない」の無言宣伝。ゴリパパ、拍手にむかえられ、胃全摘手術の報告とお礼。自転車女性3人が会釈、歩行者数人が頭下げ、プラスター読むひと、人通り多し。

29日「朝日歌壇」《人権は守らなければかんたんに失ってしまうことを知る香港市民（島村久夫）》永田和宏選。

10月4日から臨時国会。千葉などの台風被害、日米貿易、消費増税後の変化、表現弾圧など議論すべき課題いっぱい。

〈10月7日〉 静かなる朝に聞こえる虫の声。〃74年経っても変わらない光景を私は見ています〃と書いたプラスターを胸に、7時40分から9時まで、入れ替り立ち替りの12人＋ゴリちゃん＋ミッキーちゃん＋ミニーちゃん＋白うさぎのしろっきーちゃんで無言宣伝。ゴリパパ、明日術後初めての診療、抗がん剤治療の方針決まるとか、京都9条の会の様子、高浜町元助役にまつわる同和団体の影についてミニレク。会釈する人数人、相変わらず無視の人何人か、掃除の駅員、声をかけてくれる。

6日「朝日歌壇」《世界遺産候補やんばるの森はその中に米軍へリポート包みゐるらし（加津牟根夫）》馬場あき子選、《大変な千葉にも行かず官邸の呼び込みを待つ議員会館（根岸浩一）》佐佐木幸綱選、《森・加計を民は忘れておりません文科相人事は挑戦なのか（高槻銀子）》永田和宏選。

「朝日俳壇」《軍港やどこかで秋刀魚焼いてをり（あらゐひとし）》大串章選評『軍港』と『秋刀魚焼』の取り合わせが一句の眼目。戦争のない平和な暮らしが続いてほしい」。

歌もことばもプラスターも

〈10月14日〉 雨。雲。風。台風19号が列島を襲った。被害は拡大の一方、「災害列島」に必要なものは「国土防衛隊」だということを改めて痛感。〃悼〃と書いたプラスターを胸に、11時45分から1時まで、入れ替り立ち替りの14人＋ゴリちゃん＋ミッキーちゃん＋ミニーちゃん＋白うさぎのしろっきーちゃんで、

「無言、ではいられない」の無言宣伝。シンガーソングーライターのお話しと歌声、フリーライターの台風19号にふれた話し、市会議員の新しい市政を創ろうの呼びかけ、仁和寺前のホテル建設計画の無鉄砲、年金の切り下げ計画への怒り……発言と音楽が白梅町駅前に響いた。「わたしもアベ政治に反対です」という人、笑顔、頭下げが続き、音楽を楽しむ人も。観光バスから何人もが手振り。

13日「朝日歌壇」《「汚染水」「処理水」同じフクシマの水の呼び名で立場が変わる（篠原俊則）》佐佐木幸綱・高野公彦・永田和宏選。

〈10月21日〉 どんよりとした曇り空、嵐電白梅町駅の改札口がなくなり、2つある線路のひとつが使えなくなった。〝9条壊すな〟と書いたプラスターを胸に、7時45分から9時まで、入れ替り立ち替りの11人＋ゴリちゃん＋ミッキーちゃん＋ミニーちゃん＋白うさぎのしろっきーちゃんで無言宣伝。ゴリパパの病状報告のミニレク。観光シーズンだからか金閣寺に向かう観光バス激増、車中から手振りも多し。タクシーがヘッドランプを点けて合図、通りがかった女性、向こうから「おはようございます」と笑顔であいさつ、笑顔、頭下げが続く。

20日「朝日歌壇」《核を持つ国のトップが他の国の核を禁じる　あなたはゼウス？（戸沢大二郎）》高野公彦選評「結句が皮肉たっぷり。ゼウスはギリシャ神話の最高神」、《新妻のように匂いし日ありけん災害ごみに出されし畳（中原千絵子）》馬場あき子選、《改憲の日本を元へ戻さむと亡霊のごと明治憲法（佐藤茂）》佐佐木幸綱選。

「朝日俳壇」《香港やマスクの出来ぬ街となり（神宮斉之）》長谷川櫂選。

〈10月28日〉 晴れわたる空、うすい雲。街路樹が黄変している。秋の観光シーズンなのか観光のバス激増。〝殺さない　殺されない　殺させない　これが日本だ！〟と書いたプラスターを胸に、7時45分から9時まで、入れ替り立ち替りの10人＋ゴリちゃん＋

ミッキーちゃん＋ミニーちゃん＋白うさぎのしろっきーちゃん＋チコチャンで無言宣伝。「おはようございます」の声掛け、お土産の差し入れ、バスからの手振りも。白梅町駅の改修が住民、利用者の声を聞くことなく進んでいる

27日「朝日歌壇」《原発がなければ仕事がないというそういう土地に原発はある（篠原俊則）》高野公彦、永田和宏選、永田和宏選評「なるほどと思わせる鋭い視線。経済活動の不均衡が負担の不均衡を生む」、《身を捨つる祖国を持てと迫り来る改憲の声霧の中より（二宮正博）》永田和宏選評「寺山修司の「身捨つるほどの祖国はありや」の反語を逆手に取るような改憲の波がすぐそこに」。

「朝日俳壇」《台風禍川の容《かたち》のなき大河（縣展子）》長谷川櫂選。

行楽日和に賑やかな訴え

〈11月4日〉 晴れの空、雲多し、少し寒い。絶好の行楽日、観光の客とバス多し。〃アベ政治を許さない〃と書いたプラスターを下げて、11時40分から1時まで、入れ替り立ち替りの14人＋ゴリちゃん＋ミッキーちゃん＋ミニーちゃん＋白うさぎのしろっきーちゃんで、「無言、ではいられない」の無言宣伝。白梅町駅の改修工事、住民の声を聞かないで進んでいる。役所の横暴。シンガーソングライターが、Xバンドレーダーに触発されて創った歌を披露、仁和寺前のホテル建設の不当を告発、京都市会議員が白梅町駅建設の問題に触れ、女性が♪どうにも止まらない♪の替え歌で改憲への不同意を表明、アコーディオンの音が駅前に流れた。「私は何もできませんので」と高額のカンパが寄せられ、署名も待ってしてくれる人も。何人もの人が会釈、声掛け、バスからの手振りも。

3日「朝日歌壇」《香港の警官として苦しめる筑波恭明《きょうめい》あれなと思う（中原千絵子）》馬場あき子選評「うたわれた筑波恭明は、六〇年安保の学生デモに警棒を振るわなかった警官で歌人」

「朝日俳壇」《藤村の知らぬ千曲や秋出水（久米まさはる）》大串章選。

相次ぐ閣僚の辞任、重要施策の大失敗、企業と行政の癒着……。国民の願いから外れ、企業利益追求一辺倒、右傾化のなれの果てが目の前で進む。首里城の大火、京アニの放火、台風被害……、正視するに堪えない惨事が目の前で起こる。

〈11月11日〉 晴れかつ雲、そして寒い。〝関電の信頼ゼロ　原発ゼロ！〟と書いたプラスターを胸に、ゴリちゃん＋ミッキーちゃん＋ミニーちゃん＋白うさぎのしろっきーちゃんら入れ替り立ち替りの12人で無言宣伝。ゴリパパ、抗がん剤治療をおして参加。横浜から来た小学校1年生からの心友、訪ねてくれ話し弾む。福山京都市長候補についてミニレク。白梅町駅の改修工事、住民の声を無視して進んでいる。説明ぐらいすべし。「おはようございます」の頭下げ、手をあげてのあいさつがうれしい。

10日「朝日歌壇」《人間であるより公務員だった豪雨にホームレスを拒みて（中原千絵子）》永田和宏選評「台風19号で避難してきたホームレスの人々を台東区の避難所が拒否した事件。『人間であるより公務員だった』が厳しい」。

「朝日俳壇」《曼殊沙華吾も秩父の子なりけり（宮城和歌夫）》大串章選評「『曼殊沙華どれも腹出し秩父の子　兜太』を思い、金子さんを偲《しの》んでいる」。

先日の参議院予算委員会で、日本共産党の田村智子議員は、安倍首相主催の「桜を見る会」について質問した。公費＝税金で何百人もの「後援会員」を接待している実態が明らかに。総理大臣を先頭にする「モラルハザード内閣」ともいうべきか。安倍首相の一大スキャンダル、暴くべし、そして退陣・打倒へ。

〈11月25日〉 今日は天神さんの日、晩秋らしく冷える。高知県知事選で「まつけんさん」惜敗！「野党共同」の画期的試みだった。香港区議選、民主派圧勝!!　〝憲法をまもれ民主主義を取り戻せ〟と書いたプラスターを胸に、ゴリちゃん＋ミッキーちゃん＋ミニーちゃん＋白うさぎのしろっきーちゃん＋チコちゃんら入れ替り立ち替りの11人で無言宣伝。ゴリパパ、マダムのコンサートについて、各地の紅葉まつりなどについてのミニレク。白梅町駅建て替え工事が住民の声を聞くことなく進んでいる。そのことを書いたチラシ配布、反響多し、二人の人が近くの人に撒くとチラシを複数枚持っていく。止めた車の中から声掛け、観光バスから手振り。歩く人とハイタッチ。

24日「朝日歌壇」《ゆくりなく首里城もえて黙すのみ辺野古のなりゆき有りてなほさら（井上孝行）》永田和宏選、《香港の若者毅然として言えり「政府が市民を恐れるべきだ」（篠原俊則）》馬場あき子選。

「朝日俳壇」《首里城が鮮血を噴く碇星《いかりぼし》（里中和子）》長谷川櫂選評「碇星は秋の美しい星座カシオペア座。首里城炎上」、大串章選評「『鮮血を噴く』が火災の凄まじさを示し、『碇星』の『いかり』が作者の憤りを思わせる」。

銀杏の彩に「人生」を思う

〈12月1日〉 秋空を彩る紅葉シーズンも最終盤、真っ赤なモミジも素敵ですが、これは黄色が映えるイチョウです。青い空に向かって、黄色に染まった1本の大きい銀杏の木が決然として立っています。その姿は、あたかも僕の信条、モットーでもある「微力かも知れないが、無力ではない」と主張しているようです。春から晩夏、初秋にかけて、銀杏は青い葉で愉しませてくれます。原始の昔から生き抜いてきた樹らしく、日陰をつくってくれますし、目も和ませてくれます。樹下での語らいも楽しい。さらに、中秋、晩秋、そして初冬にかけて、黄色く色づく銀杏の葉は、そのあでやかさで僕の嘆声を引き出します。青い空に向かって伸びる姿は、右顧左眄することなく信ずる道を歩めと言っているようです。青い葉をつけている銀杏も楽しいし、黄色く色づいたそれもまたいい。僕は60歳の時、脳幹梗塞になりました。「非障害者」

としての、60年間の人生を送りました。61歳を目の前にして倒れ、以来「障害者」としての歩みを14年間過ごしています。いわば、「非障害者」としての人生と「障害者」としてのそれの、2つの人生を歩みました。それもあって、甲乙つけがたい銀杏のような二つの「人生」に魅かれるのかも知れません。

北野白梅町、駅舎建て替え工事

〈12月2日〉雲垂れ込む雨の朝、最初から最後まで降りっぱなし、時折り強雨。行きかう人が下を向いている。〃安倍首相　退陣〃と書いたプラスターを胸に、合羽着用のゴリちゃん＋ミッキーちゃん＋ミニーちゃん＋白うさぎのしろっきーちゃんら入れ替り立ち替りの10人で無言宣伝。丹後半島の米軍基地強化の動き、京都市長選の新たな動きについてミニレク。白梅町駅建て替え工事が進む。ようやく、京都市は、住民の声を聞く機会を12月中に開く。「住民力」の勝利！「雨の中、ご苦労さま」「雨やのに…」と2人が声掛け、右手を挙げての丁寧なあいさつ、会釈する人4人。

1日「朝日歌壇」《侮辱的なヤジ飛ばす国会での首相　ト氏プ氏の前と余りにも違ふ（森谷弘志）》高野公彦選。

〈12月9日〉雲ひとつない抜けるような青空、本格的な冬襲来か、今冬初のカイロ8枚。出来てきたばかりの冊子『近代の京都を創った人たち』を無言宣伝で活用。〃NO！安倍政治〃と書いたプラスターを胸に、ゴリちゃん＋ミッキーちゃん＋ミニーちゃん＋白うさぎのしろっきーちゃん＋チコチャンら、長野県の人含めて入れ替り立ち替りの14人で無言宣伝。白梅町駅建て替え工事が進む。京都市と京福電鉄は、住民の声を聞く機会を12月23日午後7時に開く。「住民力」の大勝利！。通りかかりの女性が自転車から降りてご挨拶、自転車女性、ペダルを漕ぎながら会釈、何人もの人が会釈、ハイタッチする人も。

8日「朝日歌壇」《撃たれてもマスクで顔を覆っても母たちはすぐにあなたと判る（小林瑞枝）》佐佐木幸綱選評「母の心、母の目で、香港政府に抗議する学生デモをうたう。六〇年・七〇年安保時代の日本の母を思い出す」

「朝日俳壇」《香港も冬　火の海に雨傘が（池田典恵）》高山れおな選。

〈12月16日〉カイロ8枚のところが事情で5枚、快晴、飛行機雲鮮やかで風なし。寒いというより冷たい朝、息白濁。〃野党は一点共闘　民主主義を守れ〃と書いたプラスターを胸に、ゴリちゃん＋ミッキーちゃん＋ミニーちゃん＋白うさぎのしろっきーちゃん＋チコちゃんら入れ替り立ち替りの14人で無言宣伝。白梅町駅建て替え工事が進む。京都市と京福電鉄は、住民の声を聞く機会を12月23日午後7時に開く。主催者のチラシを嵐電利用者に撒く。「寒いねー」の声掛け、数人のひとが会釈、工事現場のひとがニッコリ。駅舎改築で話し込む人も。

15日「朝日歌壇」《〈憲政〉とそもそも言へぬ最長の首相《ひと》巧言に最小なり仁《じん》》高野公彦選評「論語の『巧言令色鮮《すくな》し仁』を借りての首相批判である。『最長』は在職日数」、《首相よりまず被爆者と被災者の手を取るローマ教皇の手よ（篠原俊則）》高野公彦・永田和宏・馬場あき子選。

「朝日俳壇」《十二月八日少年兵士志す（三好泥子）》大串章選評「恐ろしい句。今の子供たちは戦争の悲惨を知らない」。

来週23日の月曜日で年内の無言宣伝終了。来たれ！1月1日（水）正午から1時まで、「無言、ではいられない」の無言宣伝。1年の計は元旦にあり！　終了後新年会。

〈12月23日〉猛烈な勢いで工事が進む駅舎前は雲り、カイロ8枚。〝WAR IS HELL〟（戦争は最悪）と書いたプラスターを胸に、ゴリちゃん＋ミッキーちゃん＋ミニーちゃん＋白うさぎのしろっきーちゃんら入れ替り立ち替りの12人で2019年最後の無言宣伝。工事が進む故、人の流れも変化する。つくづくと駅舎工事を眺めやる人が会釈、話し掛ける人ひとり、自転車女性が下車してあいさつ、大きなカバンを肩にかけた紳士が会釈。観光バス皆無。

22日「朝日歌壇」《「無関心こそ最大の悪である」との言葉を残しローマ教皇去る（島村久夫）》馬場あき子選《教皇の帰国を待っていたかの様に女川2号再稼働へと（小島敦）》馬場あき子・高野公彦選、馬場あき子選評「来日した教皇が心にかけられたのは被爆国の核の問題だった」

「朝日俳壇」《政《まつりごと》見まい聞くまい山眠る（田畑春酔）》長谷川櫂選。

〈12月29日〉2019年、僕の10大ニュース

▽自宅の出入口にある靴箱の上に、「日本一ちいさな本屋さん」を開きました。クッキー2種類も売っています。▽全障研大会に参加した機会に、長野県上田市の「無言館」と「俳句弾圧不忘の碑」、「檻の俳句館」を訪ねました。▽《相模原殺傷事件から3年―なにが問題か？・あなたはどうする？・》（7月26日）、《壊憲ダメ！　松元ヒロライブ》（8月18日）で、「排除の思想」の危険を学びました。▽定例になった毎月第1土曜日の「白梅町憲法カフェ」では、日米地位協定、優性保護法、五日市憲法を学びました。

〈12月30日〉続▽『おげんきですか』（肢障協）、『燎原』（京都の民主運動史を語る会）、『ねっとわーく京都』（ねっとわーく京都編集委員会）（「観光京都」は住民がいてこそ―嵐電白梅町駅の改修から考える）に寄稿、『京都民報』が、「論壇・オピニオン」の欄で、〈〃いの

ちの価値〃ゆがめるな　相模原障害者施設殺傷事件を考える〉を、「書評」の欄で、〈『加藤周一青春ノート　1937―1942』／編・鷲巣力、半田侑子　思想と行動の原点を見る〉を掲載してくれました。さらに『朝日新聞』の〃声〃欄に、〈胃ろう13年　生の喜びもらう〉と〈かみしめる　加藤の言葉〉が掲載された。『女性の広場』（日本共産党中央委員会）の「読者の本」の欄に、〈井上吉郎著『もう一つの明治維新150年』〉の記事が載っています。『ひゅうまん京都』（京障連）、『紫式部』（京都高齢者生活協同組合くらしコープ）、『北山杉』（全障研京都支部）には毎月短文を寄稿しました。結構書いた年でした。▽ほぼ毎朝、連れ合いの肩と身体を借りて家の周りを歩きました。▽今年の目標として、「入院することのない1年に。無事、これ名馬」を掲げましたが、残念ながら5月31日に入院しました（6月6日に退院）。

〈12月31日〉続▽冊子を3冊発行。『もう一つの明治維新150年』『書評三題話　発達保障・社会保障・安全保障』『近代の京都を創った人たち』です。▽今年も、「150冊を読み、100冊を書評する」を目標にしてきましたが、目標を達成することが出来ました。▽4月の地方選挙、8月の国政選挙に参加し、アベ政治の転換の機会にしました。

京都市北区の嵐電《らんでん》白梅町駅の全面改修と駅の北側を市バスのバス停にする工事が進んでいます。住民の声を聞くことなく、京都市と京福電鉄の都合だけで進められているこの工事に「異議あり」の声をあげています。そして、何より、「継続は力」、「微力かも知れないが、無力ではない」、「来る者拒まず、去る者追わず」の3つをモットーに、「明文改憲を許さない」の思いを胸に、嵐電白梅町駅前広場での無言宣伝に参加しました。

コロナパンデミックに世界が呻吟

2020年

〈1月1日〉初詣の人、極めて多し、空には太陽。猛烈な勢いで工事が進む白梅町の駅舎前、駅舎の屋根がとり払われた。〝アベ政治を許さない〟と書いたプラスターを胸の前に、正午から1時まで、ゴリちゃん＋ミッキーちゃん＋ミニーちゃん＋白うさぎのしろっきーちゃんら入れ替り立ち替りの32人で、

2020年最初の「無言、ではいられない」という名の無言宣伝。ミュージシャン3組が語り歌い、ギター、ピアノ、アコーディオンなどの楽器をかき鳴らし、府会議員、市会議員が市長選挙の意味を語り、大学関係者、女性2人が福山和人市長実現への期待を述べた。チラシがよくさばけた。

12月29日「朝日歌壇」《箸渡し骨拾ひする平和ありジャングルに消えし戦死の父よ（佐藤茂）》馬場あき子選、《「自衛隊派遣は有害無益です」中村哲氏は言い遺したり（寺下吉則）》永田和宏選。

「朝日俳壇」《冬銀河中村哲に終はり無し（二宮正博）》長谷川櫂選。

〈1月13日〉晴れわたる青空、今日は成人の日、従って無言宣伝は、正午から1時まで、「無言、ではいら

れない」として実施。〃アベ政治を許さない〃と書いたプラスターを胸の前に、ゴリちゃん＋ミッキーちゃん＋ミニーちゃん＋白うさぎのしろっきーちゃん＋チコちゃんら、香川県、大阪の人を含め、入れ替り立ち替りの25人で、「無言、ではいられない」という名の無言宣伝。ミュージシャンが語り歌い、元衆議院議員の宮本たけしさんが歌とスピーチ、府会議員が市長選挙の意味を語り、女性4人が福山和人市長実現への情勢と期待を述べ、原発政策の誤り、仁和寺前のホテル建設計画の無謀を語り、アベ政治の悪政を告発した。チラシがよくさばけ、署名も集まった。通りかかる人が耳を傾けてくれた。

12日「朝日歌壇」《共に撃たれしアフガンびとを悼みたる家族の声のとうとかりけり（中原千絵子）》佐佐木幸綱選評「福岡での中村哲氏の告別式における長男・健さんの挨拶は、アフガニスタン人の運転手、警備の人への哀悼のことばからはじまったという」、《美しいニッポンそれは戦争が出来る国です、よね安倍首相（康哲虎）》高野公彦選。

1月19日に京都市長選挙は告示される。「高級ホテル林立ＮＯ！」「京都が京都でなくなる」「50年先、１００年先に誇れる京都を！」の声を。

〈1月20日〉 昨19日告示された京都の市長選、福山カーだけが通り過ぎた。大寒の日だが、寒くなくて空が晴れわたる。ひと通り少なし。〃笑う門には福来たる〃とプラスターを胸の前に、ゴリちゃん＋ミッキーちゃん＋ミニーちゃん＋白うさぎのしろっきーちゃん＋チコちゃんら入れ替り立ち替りの12人で、無言宣伝。今年度末に閉店するライブハウスの情報、客が来なくなったとか…。駅の改修で客の流れが変わったのか、反応いまいち。

19日「朝日歌壇」《数々の不評はあれど現政権多弱の野党に支へられをり（下谷海二）》高野公彦選評「一強・多弱という構図の中で野党の腑甲斐《ふがい》なさを嘆く」、《星月夜秩父蜂起の昔より獄《ひとや》の夜具は赤い縦縞（十亀弘史）》馬場あき子選評「獄舎の夜具の赤い縞柄が印象に残る。秩父事件は明治十七年」。

「朝日俳壇」《圧政に屈せぬ意志のマスクかな（瀧上裕幸）》長谷川櫂選。

〈1月27日〉曇りのち雨、カイロ8枚。〃NO WAR IRAN〃のプラスターを胸に、ゴリちゃん＋ミッキーちゃん＋ミニーちゃん＋白うさぎのしろっきーちゃん＋チコちゃんら、愛知県から来てくださった人含め入れ替り立ち替りの11人で、無言宣伝。市長選のミニレク。白梅町駅の建設すすむ。タクシーがヘッドライトで合図、女性が、わざわざ寄って来て下さり、「がんばって」と声掛け。

26日「朝日歌壇」《やっぱりね　予期した通りのＩＲ犯罪治安不穏な予感（梅原三枝子）》永田和宏選。「朝日俳壇」《九年経ち未だフクシマと呼ばる春（馬目空）》長谷川櫂選。

〈2月3日〉寒い、後半に温かさ戻る、カイロ8枚。〃ＮＯ　ＷＡＲ〃のプラスターを胸に、ゴリちゃん＋ミッキーちゃん＋ミニーちゃん＋白うさぎのしろっきーちゃん＋チコちゃんら、初参加の大学教員など入れ替り立ち替りの13人で、無言宣伝。投票率は40％台になったが、福山当選ならず。参加者全員が、京都市長選についてミニレク、若い世代に新しい動きがあった、選挙中の公約実現に向けて運動するなどの声も。「ご苦労さま」と声をかけてくださり、会釈する人2人。

2日「朝日歌壇」《ひとりひとつのたましひ灯すいのちだろ甲なんて呼ぶな乙なんて呼ぶな（さいとうすみこ）》佐佐木幸綱選評「相模原障害者殺傷事件公判では、殺人の被害者を「甲」、殺人未遂の「被害者」を「乙」と呼んだ。障害者に対する差別を心配する遺族や被害者家族の意向をくんでのことという。一首に差別を許容する社会への怒りを読む」、《言霊《ことだま》のさきわう国であればこそ平成令和ちぢめて平和（加藤正文）》高野公彦選。

通常国会中、ＩＲ、桜など不誠実な首相答弁、総辞職に追い込みたい。中東へ自衛隊が行ってしまった……。

春近し、50年ぶりの友との再会

〈2月17日〉 晴れわたる朝の空、8時45分頃から雲出る。カイロ8枚。〝辺野古に基地はいらない〟のプラスターを胸に、ゴリちゃん＋ミッキーちゃん＋ミニーちゃん＋白うさぎのしろっきーちゃん＋チコちゃんら入れ替り立ち替りの14人で無言宣伝。コロナウイルスの影響か、観光バスが皆無。金閣寺も嵐山も人が少ないと参加者。来週の「無言、ではいられない」についてミニレク。寄って来て声をかけてくれた人1人、工事現場のひと会釈、ヘッドライトを上下してのメッセージも。

16日「朝日歌壇」《白椿咲くふくしまの墓じまひ終へてむなしき更地二坪（半杭螢子）》高野公彦・永田和宏・佐佐木幸綱選。

安倍総理の本会議での「破防法発言」は、「治安維持法政治」が続いていることを示しているのではないか。日本政治の遅れを示すこの出来事を軽視できない。

〈2月24日〉 明日25日は「梅花祭」、春はすぐ近く。雲ひとつない空がまぶしい。カイロ5枚。〝アベ政治を許さない〟のプラスターを胸の下に、大阪や亀岡からの参加者を迎え、ゴリちゃん＋ミッキーちゃん＋ミニーちゃん＋白うさぎのしろっきーちゃん＋チコちゃんら入れ替り立ち替りの20数人で、正午から1時まで、「無言、ではいられない」の無言宣伝。夫婦ミュージシャンの音楽で幕を上げ、年金者組合の人が高齢期の送り方を述べ、府会議員が公約の大切さをかたり、市会議員、大阪の女性（僕は50年ぶりの再会！）は、辺野古の現状を紹介し、市会議員が今の市政を告発、ミュージシャンが京丹後の米軍基地を語り、飲食店の店主が三線を弾いた。府会議員が横切り、4人から声をかけられた。

23日「朝日歌壇」《疑へばすべて罹患者《りかんしゃ》バスの中マスクがマスクを監視してゐる（牛島正行）》永田和宏・高野公彦選、《トランプァベ、シーチンピンとプーチ

ンが率いる世界の未来は何色（深沢茂子）》高野公彦選評「アベ氏がトランプ氏に取り込まれていることを「トランプァベ」と表記した諧謔が面白い」。日本でコロナウイルス被害が広がっている。日本政府の立ち遅れに強い批判がまきおこっている。安倍内閣の信任が減り、不信任が増えている。この傾向、もっともっと。

拡がるコロナ禍の強権対応

〈3月2日〉曇り空、コロナウイルスの影響だろう、学生の姿がチラホラ、通る車も少なく、市バスもガラガラ、観光バスは1台だけ、「戒厳令」（経験したことはないが…）下のような駅前風景、カイロ8枚。〃ボーと生きているんじゃねーよ!!〃のプラスターを胸に、ゴリちゃん＋ミッキーちゃん＋ミニーちゃん＋白うさぎのしろっきーちゃん＋チコちゃんら入れ替り立ち替りの10人で、7時45分から9時まで無言宣伝。会釈する人4人、ハイタッチ1人、語りかけてくれる人2人。

1日「朝日歌壇」《窓開けて励まし合へる武漢市民互ひに交はす声の哀しも（櫻井隆繁）》馬場あき子選、《被曝せる母娘に水をやるために再び戻る白昼の夢へ（原田覚）》佐佐木幸綱選。

コロナウイルス被害を理由として、学校の休校を安倍総理が唐突に呼びかけた。失政を糊塗する施策、賛成しない。

〈3月9日〉 温かい朝、ぽかぽかの朝。見上げる限り、空は青、気が大きくなる。コロナの影響か、通る人も車も少ない。〝コロナ独裁×〟のプラスターを下げて、ゴリちゃん＋ミッキーちゃん＋ミニーちゃん＋白うさぎのしろっきーちゃん＋チコちゃんら入れ替り立ち替りの13人で、7時45分から9時まで無言宣伝。岡根ファミリー展のミニレク。顔見知りの女性が激励してくれる。外国からの観光客が興味を示してくれた。

8日「朝日歌壇」《汚染とはホモサピエンスの問題で地球は何も困っておらぬ（馬木和彦）》高野公彦選評「なるほど地球汚染で困るのは地球でなく人類だ、と教えられた」、《いま一度カミュのペストを読み返し暗闇のなか深呼吸する（岩田充）》永田和宏選。

「朝日俳壇」《マスクして徒《ただ》ならぬ世に出てゆけり（縣展子）》大串章選。

〈3月16日〉 バス停が完成まぢかの白梅町駅の広場で行動、駅舎があまりにも殺風景、京都に相応しくないと愚考。雨が降り、息が白濁する朝、カイロを6枚張る。通る車少なく、人も激減、バスもガラガラ、観光バス1台だけ。〝非常事態宣言×〟のプラスターを下げて、ゴリちゃん＋ミッキーちゃん＋ミニーちゃん＋白うさぎのしろっきーちゃん＋チコちゃんら、東京からの2人をまじえて、入れ替り立ち替りの11人で、7時45分から9時まで無言宣伝。傘さす男性が丁寧な頭下げ、女性が声をかけてくれる。

15日「朝日歌壇」《手洗いとマスク嗽《うがい》で迎え撃つ戦争末期の竹槍の如（木村義熙）》高野公彦選、《言うまでもないことですが首里城と米軍基地は別物ですので（山崎健治）》永田和宏選評「首里城の再建には国の、政府の援助が要る。だが、交換条件に辺野古を持ち出されてはたまらないと」。

「朝日俳壇」《空襲をくぐり抜けたる雛ばかり（岡部泉）》大串章選。

〈3月23日〉 開花宣言後初の無言宣伝、快晴。バス停が完成した白梅町駅の広場で行動、駅舎があまりにも殺風景、京都の西の玄関口に相応しくない。通る車少なく、人も激減、バスもガラガラ、観光バス1台だけ。〝コロナ戒厳令×〟のプラスターを下げて、ゴリちゃん＋ミッキーちゃん＋ミニーちゃん＋白うさぎのしろっきーちゃんら、入れ替り立ち替りの15人で、7時45分から9時まで無言宣伝。腸の様子、おかねファミリー展、京都市バスのルートについてミニレク。会釈する人、声をかけてくれる人、読んでくれる人も。

22日「朝日歌壇」《スペイン風邪を病みていのちを愛《いと》しみし茂吉を想うウイルスの禍《か》に（沼沢修）》・馬場あき子選、永田和宏選評「約百年前のスペイン風邪では世界人口が一八億の時代に五億人以上が感染。長崎時代の茂吉も罹《かか》った。茂吉を詠い続ける沼沢さんはこのコロナ禍にも茂吉を」。

「朝日俳壇」《春寒や日本一国休校に（田中南獄）》長谷川櫂選評「終息のめど立たぬコロナ禍。いつまでつづく『一国休校』」。

東京オリンピック・パラリンピックをめぐる議論が盛んだ。パンデミック宣言が出ているとき、世界的行事は出来ないだろう。

〈4月6日〉 パンデミック宣言、感染は100万人にも、広がるクラスター禍、歩行者わずか、市バスはどれもこれもガラガラ、観光バス0台。〝新型コロナの補償　布マスク2枚　まじか〟のプラスターを下げて、ゴリちゃん＋ミッキーちゃん＋ミニーちゃん＋白うさぎのしろっきーちゃんら、入れ替り立ち替りの11人で、7時45分から9時まで無言宣伝。タクシー2台がヘッドライトで合図、コロナについて書かれたプラスターを読む人多し、会釈してくれた人数人。

5日「朝日歌壇」《集団登校の子らも見守りのおじさんもみいんな消えた三月の朝（盛田和代）》佐佐木幸綱選、《卒業の日に教へ子と握手さへできず別れぬコロナ禍のため（新海広之）》永田和宏選。

「朝日俳壇」《ウイルスに花の山河も怯《ひる》む如（尾崎純子）》長谷川櫂選、《ウイルスと核の地球や涅槃《ねはん》西風《にし》（片岡マサ）》大串章選。

〈4月13日〉 どんよりとした曇り空。寒い朝。無言宣伝は、今日13日から4月中は休止。僕は事情を知らないで参加する人に連絡するために参加。パンデミック宣言、感染は150万人超、広がり留まるところを知らないコロナ禍、歩行者ごくわずか、その歩行者も顔を下げて歩く。顔なじみになった人が何人も通らない。行き交う市バスはどれもこれもガラガラ、観光バス0台。〃1世帯に2枚のマスク〃のプラスターを下げて、7時45分から9時まで無言宣伝。

12日「朝日歌壇」《山歩きしてればいいさ集まらず話さず聞かず飲まず笑わず（木野村暢彦）》高野公彦選、《テレワーク出来ない人が支えてる文明社会の根っこの部分（藤山増昭）》永田和宏選。

「朝日俳壇」《癌癒えて人生再開木瓜《ぼけ》の花（林哲彦）》大串章選評「死の恐怖を乗り越えて生き続ける。まさに『人生再開』である」。

〈4月27日〉 朝陽は注ぐが、気温は冷たい。コロナ禍で4月中は休止していた無言宣伝は5月中も休止。広がるコロナ禍、過去を振り返り（オリパラに引きずられた政権）、今を考え（医療人の頑張り）、未来を思いやる（ポストコロナの社会）。〃自粛と補償は一体で！〃のプラスターを下げて、8時20分から「無言で宣伝」。躑躅《つつじ》がパートナー。

26日「朝日歌壇」《おろされたシャッターつづく商店街みんな呼吸をやめてしまった（丹羽祥子）》馬場あき子・佐佐木幸綱選。

「朝日俳壇」《コロナ禍にまた手を洗ふ春の水（下島章寿）》長谷川櫂選、《憂鬱のただなか燕来てゐたり（笠井彰）》大串章選。

政権に従順な検察狙う「改革」法案

〈5月18日〉 晴れ。緊迫する国会、正論を！ コロナ禍で5月中は中断されている無言宣伝。〝検察×権力　混ぜるな危険〟と書いたプラスターを下げて、6時30分から花を横に「無言で宣伝」。

17日「朝日歌壇」《動画にはソファーに寛ぐ首相あり格差社会の現実ここに（神蔵勇）》永田和宏選評「日々の収入を絶たれ苦しむ多くの人々に、自粛を要請した人のあの動画はどう映ったか？」、《戦時中千人針縫う女らの祈り同じくマスク縫う今（中川雪枝）》馬場あき子選、《ウイルス禍の街はマスクに牛耳られ忘れがちなる口紅悲し（岡田みいこ）》佐佐木幸綱選。

「朝日俳壇《駅ピアノ街に希望の春の曲（川島隆慶）》大串章。

「検察庁法改正案」を巡る動きが緊迫している。政府（行政府）の思惑で検察（司法府）幹部の定年延長を可能にするこの「改革」は、政権に従順な検察を造り、「三権分立」の基礎を掘り崩して民主主義を危うくする。撤回！・反対！・廃案！

〈5月25日〉 どんより空、掃き清められた道。コロナ禍で5月中は中断されている無言宣伝を、来週（6月1日）から嵐電白梅町駅頭で実施。来たれ!! 〝Stay Home　おうちから声をあげます！〟と書いたプラスターと〝みんなのねがい〟と書いた団扇を下げて、5時50分から生垣を背景にして「無言で宣伝」。

24日「朝日歌壇」《五兆円軍事費を使うこの国で紙のマスクが手に入らない（康哲虎）》馬場あき子・高野公彦選。

「朝日俳壇」《永き日を更にコロナが永くする（徳永スキ子）》大串章選。

検事長を世論の力で辞任に追い込んだ。懲戒免職こそ相応しい。「三権分立」の基礎を掘り崩して民主主義を危うくする法案を葬れ！・緊急事態宣言が今日全国的に解除される。

〈6月1日〉パンデミック宣言、感染者は約600万人、広がるクラスター禍、歩行者わずか、市バス走るも客少なし、観光バス0台。〝安倍内閣総辞職！〟のプラスターを掲げて、ゴリちゃん＋ミッキーちゃん＋ミニーちゃん＋白うさぎのしろっきーちゃんら、入れ替り立ち替りの11人で、7時45分から9時まで、4月6日以来の無言宣伝。クラクションで合図する人、わざわざ寄ってくる高校生、会釈する人数人、ハイタッチも。

31日「朝日歌壇」《集会も講演もなくメーデーと憲法記念日過ぎゆく今年（木戸聡）》佐佐木幸綱選、《この春に初めて遇ひたる言の葉の〈納体袋〉ふかぶか淋し（櫂裕子）》永田和宏選評「このパンデミックが無ければ出合わなかった言葉が多くある。〈納体袋〉は、多くの映像とともに衝撃を与えた一つ」

「朝日俳壇」《コロナ禍の今こそ泳げ鯉ノボリ（縣展子）》長谷川櫂・大串章選、《手作りのマスクを送る子どもの日（和田英）》大串章選。

〈6月8日〉〈県議選 沖縄民意 示される〉パンデミック宣言、感染者は約600万人、広がるクラスター禍、勤労者は少なく、学生が目立つ。市バス走るも乗客少なく、観光バス今回も0台。「アベノマスク」に〝アベセイジ×〟と書き、〝公立・公的病院の廃止は中止〟のプラスターを掲げて、ゴリちゃん＋ミッキーちゃん＋ミニーちゃん＋白うさぎのしろっきーちゃんら、入れ替り立ち替りの12人で、7時40分から9時まで無言宣伝。沖縄選支援のリアル報告、人種差別への怒りミニレク。〝アベセイジ×〟と書かれた「アベノマスク」への注目度抜群。会釈する人、置いてあるプラスターを読む人何人も。

7日「朝日歌壇」《「いってきます」いつもの通り居間を出し夫は七歩で〈職場〉に入る（大曽根藤子）》高野公彦選・永田和宏選評「別室の職場へ出勤の夫。この現実をユーモラスに」。

「朝日俳壇」《ただならぬ夏のマスクに立ち止まる（山下きみ子）》大串章選評「コロナ禍による『夏のマスク』の横行」。

沖縄と日本のこれからに大きく沖縄県議選で「オール沖縄」勢力が過半数を制し、玉城県政を支える勢力が勝利した！ アメリカ合州国での、白人警察官による黒人男性殺害事件が起こり、トランプの警察機構擁護の発言も怒りをよんでいる。「第2の公民権運動」に！

〈6月15日〉 ようやく雨が上がって、間もなく晴れるであろう、曇り。パンデミック宣言、感染者は600万人超、広がるクラスター禍、勤労者は少なく、中高生目立つも大学生なし。市バスガラガラ、乗客少なく、観光バス今回も0台。「アベノマスク」に〝アベ政治×〟と書き、〝俺たち自粛 お前は辞職〟のプラスターを胸に、ゴリちゃん＋ミッキーちゃん＋ミニーちゃん＋白うさぎのしろっきーちゃんら、入れ替り立ち替りの13人で、7時40分から9時まで無言宣伝。手をあげての激励3人、会釈2人。

14日「朝日歌壇」《娘が朝に化粧していたらオンライン研究室会議《ラボミーティング》の日だなとわかる（半場保子）》永田和宏選、《教室の真っ直ぐ強きマスクの眼六十二個がわれを見つめる（塩田直也）》馬場あき子選。

「朝日俳壇」《五月闇姿を見せよコロナ菌（中井一雄）》長谷川櫂選。

世界のコロナ感染者、1000万人超え

〈6月29日〉 快晴、梅雨の晴れ間、暑いほどの朝、〝怒〟と〝希〟と書いた菅笠をかぶる。パンデミック、1000万人を超えた感染者。勤労者は少なく、中高生目立つも大学生なし。市バスの乗客少なく、0人というバスも、観光バス今回も0台。「アベノマスク」に〝アベ政治×〟と書き、〝差別問題について黙るな！〟のプラスターを胸に、ゴリちゃん＋ミッキーちゃん＋ミニーちゃん＋白うさぎのしろっきーちゃんら、入れ替り立ち替りの12人で、7時40分か

ら9時まで無言宣伝。昨日の山猫軒の集まり、展覧会について案内。ゴリちゃんに近づいてきてしげしげと眺める女性。

28日「朝日歌壇」《田畑や海山の仕事へ価値置こう働き方改革より働く場変革へ（石田恵子）》佐佐木幸綱選評「農業・漁業等、自然界を相手にする第一次産業への見直しを提言する。働き方改革でこういうことを考える人もいる」。

「朝日俳壇」《コロナ禍の風評恐れ梅雨籠（多田羅初美）》稲畑汀子選。

〈7月6日〉そぼ降る空、その後強雨、梅雨の真最中、寒いほどの朝。九州で豪雨禍、死者を含む甚大なる犠牲を悼む。「災害列島」に相応しい政治を求むや、切。パンデミック、1100万人を超えた感染者。中高生目立つも大学生ゼロ。市バスの乗客少なく、0人というバスも、観光バス今回は1台。「アベノマスク」に〃アベ政治×〃と書き、〃アベ政治を許さない〃のプラスターを胸に、ゴリちゃん＋ミッキーちゃん＋ミニーちゃん＋白うさぎのしろっきーちゃん、チコちゃんら、入れ替り立ち替りの13人で、7時40分から9時まで無言宣伝。会釈する人多く、声かけも。

5日「朝日歌壇」《コロナ禍に右往左往するアメリカよ負け戦など知らぬが故に（大竹博）》高野公彦選、《香港の自由のために一票を投じたたった一人の勇気（篠原俊則）》永田和宏選評「中国全人代で香港安全法制への一票の反対票。命を懸ける覚悟の投票だった筈」。

「朝日俳壇」《梅雨の雷「疫」が今年の漢字かも（中井一雄）》大串章選、《マスク越し定家葛《ていかかずら》の花匂う（中沢弘基）》長谷川櫂選。

東京都知事選の結果、「みどりの女帝」の「強権」政治の継続が決まった。

〈7月13日〉寒いほどの弱い雨の朝。列島各地で豪雨禍、死者を含む甚大なる犠牲をうみだした。「災害列島」に相応しい政治を！　パンデミック、1300万人を超えたコロナウイルス感染者、列島でもとまらない。小中高生目立つも大学生ゼロ。市バスの乗客少なく、0人というバスも、観光バス今回は0台。2枚目の「アベノマスク」に〝アベ改憲×〟と書き、〝沖縄差別を許さない〟のプラスターを胸に、ゴリちゃん＋ミッキーちゃん＋ミニーちゃん＋白うさぎのしろっきーちゃん＋チコちゃんら、入れ替り立ち替りの12人で、7時40分から9時まで無言宣伝。川端道喜のロングセラー『和菓子の京都』（岩波新書）につていてレクチャー。井上ひさしの『12名の手紙』（中公文庫）が面白かったと声をかけられる。近くでボヤ、消防車など数台が走る。

12日「朝日歌壇」《香港のマスクは戦うマスクにて防ぐマスクとマスクが違う（瀬川幸子）》永田和宏選評「香港のマスクは防ぐマスクではなく戦うマスクだと瀬川さん。益々困難な状況に」。

「朝日俳壇」《白玉や民を思はぬまつりごと（瀧上裕幸）》長谷川櫂選。

平安建都（794年）による人口集中、上下水道の不備（汚水と飲料水の混合）の基礎的条件があって、9世紀から10世紀、瘧（わらわやみ＝マラリア）、裳瘡（天然痘）、咳病（インフルエンザ）、赤痢、麻疹などが大流行した。そんな感染病対策として、京都では、夏の風物詩として、祇園祭の巡幸が始まった。その巡幸が今年は中止されるという。嗚呼！

〈7月20日〉朝陽さす、今朝も聞こえる、セミの声。ひさしぶり、菅笠かぶる、陽燦燦。列島各地では豪雨禍、犠牲を思いやる。パンデミック、世界で1400万人を超えたコロナウイルス感染者、列島でも増える、第2波が来たか?!　小中高生は目立つが大学生ゼロ。市バスの乗客少なく、0人というバスも、観光バス今回も0台。2枚目の「アベノマスク」に〝アベ改憲×〟と書き、〝WAR IS HELL〟（戦争は地獄だ）のプラスターを胸に、ゴリちゃん＋ミッキーちゃん＋ミニーちゃん＋白うさぎのしろっきーちゃん＋チコちゃんら、入れ替り立ち替りの14人で、7時40分から8時55分まで無言宣伝。おじさん、バスで見て降りたと熱烈な安倍政治批判、「頑張れ」のエールもらう。中学生ふかぶかと会釈、遠く離れた女性、何回も手振り。

19日「朝日歌壇」《自粛してては食つていけぬとい ふ叫び年金者われ深く黙しぬ（宮野隆一郎）》馬場あき子選、《深く深く七万本の杭打たれ辺野古の海は痛みにたえる（篠原俊則）》永田和宏選。

「朝日俳壇」《鉾《ほこ》立たぬ四条の空の虚ろなる（中島陽太）》稲畑汀子選。

コロナ禍に街行く人激減

〈7月27日〉 列島各地で引き続いて、犠牲に思いを馳せる。世界で１６００万人を超えたコロナウイルス感染者、列島でも激増、特筆すべきは日本にある米軍基地、とりわけ沖縄のそれが発生源の一つになっている。２００人超の米軍関係者を調べる時に、日米地位協定9条が壁になっている。市バスの乗客少なく、0人というバスも、GO TO TRABEL下ではあるが、観光バス今回も0台。2枚目の「アベノマスク」に〝アベ改憲×〟と書き、〝沖縄差別を許さない〟のプラスターを胸に、ゴリちゃん＋ミッキーちゃん＋ミニーちゃん＋白うさぎのしろっきーちゃん＋チコちゃんら、入れ替り立ち替りの12人で、7時40分から9時まで無言宣伝。

26日「朝日歌壇」《嫌《や》な奴と乗り合わせていて終点が待ち遠しいバスのような時代（丹羽根祥子）》高野公彦選評「コロナ禍がなかなか終息しない憂鬱さを面白い比喩で表現した」。

「朝日俳壇」《季語のなきマスクとなりて梅雨に入る（青木千禾子）》大串章選。

〈8月3日〉 あさから30度を超え、湿度も高い。世界で１８００万人を超える勢いでコロナウイルス感染者が増え、列島でも激増している。市バスの乗客少なく、0人というバスも、観光バス今回も0台。2枚目の「アベノマスク」に〝アベ改憲×〟と書き、〝補償なき自粛要請は殺人だ〟のプラスターを胸に、ゴリちゃん＋ミッキーちゃん＋ミニーちゃん＋白うさぎのしろっきーちゃん＋チコちゃんら、入れ替り立ち替りの15人で、7時35分から9時まで無言宣伝。ＡＬＳの患者の死去について、北支援学校の生徒の殺人について、手術に関することについてミニレク。声掛け3人、学生生徒の姿見ず。

2日「朝日歌壇」《栄螺《さざえ》焼き伊勢志摩限定ビール飲むコロナが地元を見直せと言う（こやまはつみ）》高野公彦・佐佐木幸綱選、《祈りし後平和の礎《いしじ》に老い人は鮭のおにぎり二つ供えぬ（村岡美知子）》馬場あき子選。

「朝日俳壇」《球磨川の鮎も驚く豪雨かな（吉田和彦）》長谷川櫂選。

8月6日の広島、8月9日の長崎は、被爆75年を迎える。犠牲者に想いを馳せ、核兵器廃絶の想いを強くする。

〈8月10日〉世界で2000万人を超える勢いでコロナウイルス感染者が増え、列島でも過去最大と激増している。市バスの乗客少なく、0人というバスも、観光バス今回も0台。2枚目の「アベノマスク」に〝アベ改憲×〟と書き、〝アベ政治を許さない〟のプラスターを胸に、ゴリちゃん＋ミッキーちゃん＋ミニーちゃん＋白うさぎのしろっきーちゃんら入れ替り立ち替りの30人余で、12時から1時まで「無言、ではいられない」と題しての無言宣伝。1組のミュージシャン6人（ギター、エレキギター、アコーディオン、テナーサックス）、地方議員、住民運動参加者3人が音楽を奏でスピーチ。注目度満点!!

9日「朝日歌壇」《もう何も書けない書かない香港の街に貼られた真白き付箋（篠原俊則）》永田和宏選《東京でホストしている息子来てアンネのように母は匿《かくま》う（寺田ますみ）》佐佐木幸綱選。

「朝日俳壇」《目ばかりがコロナの街を泳ぐ夏（宮永勝）》高山れおな選。

8月18日、京都市上京区の産院で生まれた僕には、姉14歳、長兄12歳、次兄11歳、父43歳、母38歳の家族があった。1943年、44年、45年の「京都五山の送り火」が燈火管制を理由に中止になるなど、「1億総動員」体制の下、戦争が「銃後」の庶民生活を直撃したころだ。8月15日正午、「朕ハ帝国政府ヲシテ米英支蘇四国ニ対シ其ノ共同宣言ヲ受諾スル旨通告セシメタリ」との「終戦の詔勅」をラジオで聞いてから、母は産院に入ったそうだ。

侵略の歴史を直視せよ

〈8月24日〉 暑い、しかしながら、風が暑さを和らげてくれる。〃怒〃と書いた菅笠姿で無言宣伝。世界で2300万人を超えてコロナウイルス感染者が増え、列島でも激増している。歩行者極少なく、市バスの乗客も少ない。0人というバスもあり、観光バス3ヶ月連続で0台。2枚目の「アベノマスク」に〃アベ改憲×〃と書き、〃生存権を守る2020京都行動〃のプラスターを胸に、ゴリちゃん＋ミッキーちゃん＋ミニーちゃん＋白うさぎのしろっきーちゃん＋チコちゃんら入れ替り立ち替りの13人で、7時40分から9時まで無言宣伝。タクシーの運転手がヘッドランプを点滅して合図してくれ、プラスターを立ち止まって読んでくれる人も。

23日「朝日歌壇」《アルバムに軍服の父ある限り戦争はまだ生きているなり（二界友理子）》馬場あき子選。

「朝日俳壇」《あの夏の万歳を背に帰らざる（森井敏行）》長谷川櫂選、《玉砕を辞書で引く子や終戦忌（上田義明）》大串章選。

75年前の1945年8月24日の夕刻5時過ぎ、舞鶴湾内の佐波賀沖で、海軍特設艦船「浮島丸」（4730トン）が爆発し沈没した。朝鮮人労働者など549人が犠牲になったとされる。船は、朝鮮に帰る人々を乗せて、8月22日、青森県大湊を出港した。ようやく故郷に帰れると、乗り組んだ人は華やいでいたという。浮島丸は、釜山に向かわないで東舞鶴の港に寄り爆沈した。連行された朝鮮人を、故国まで無事に送り届ける義務が日本政府にはあった。僕は映画『エイジアン・ブルー　浮島丸サコン』の製作に携わった。事件から50年の節目の年に、異国で「無念死」した人々の追悼の意も込めて映画はつくられた。「歴史修正主義」が大手をふるって歩いている。朝鮮の植民地支配と侵略、加害の歴史を直視することは、未来につながる。

〈8月31日〉暑い、暑い、猛暑、しかしながら、菅笠が暑さを防いでくれる。感謝!! 世界で2500万人を超えたコロナウイルス感染者、列島でも増えている。歩行者少なく、市バスの乗客も少ない。0人というバスもあり、観光バス今日も0台。いただいた〝アベノマスク〟に〝憲法〇〟と書き、〝STOP改憲発議〟のプラスターを胸に、ゴリちゃん+ミッキーちゃん+ミニーちゃん+白うさぎのしろっきーちゃん+チコちゃんら入れ替り立ち替りの14人で、7時40分から9時まで無言宣伝。9月21日の「無言、ではいられない」の行動、安倍首相退陣表明の意味、10月の2つの行事についてのミニレク。

30日「朝日歌壇」《死ぬための命などなし生きるため命はありぬ八月の蝉（美原凍子）》永田和宏選評「成虫として一週間ほどしか生きない蝉を詠っているが、戦争の死者も、ALSで安楽死を択《えら》んだ女性へも思いは繋《つな》がっていく」。

「朝日俳壇」《原爆忌石に無念の影残す（大井公夫）》大串章選評「この『石』は広島平和記念資料館に展示された人影の石。『無念の影』が胸に迫る」。

「アベ政治」の行き詰まりの結果、総理が、潰瘍性大腸炎を理由に「退陣」した。「虚偽政治」＝検証できる証拠（書類）を残さない、「トランプ政治のポチ」に徹する、「改憲ファースト」政治を進めるなど、など、「腐臭」一杯の政権だった。「アベ亜流」は御免だ。

〈9月7日〉強い風雨を伴う台風が日本列島を襲い、多大なる被害を生んでいる。白梅町では、アサ5時までの豪雨が上がって、7時30分には曇り、7時50分からは快晴、風強し。世界で2700万人を超えるコロナウイルス感染者、列島でも変わらず増えている。歩行者少なく、市バスの乗客も少ない。0人というバスもあり、観光バスは半年間0台が続く。いただいた〝アベノマスク〟に〝憲法〇〟と書き、〝9条壊すな!〟のプラスターを胸に、ゴリちゃん+ミッキーちゃん+ミニーちゃん+白うさぎのしろっきーちゃん+チコちゃんら入れ替り立ち替りの14人で、7時35分から9時まで無言宣伝。21日の「無言、ではいられない」のミニレク。会釈してくれる人3人、顔なじみの人が3人も顔を見なかった。

6日「朝日歌壇」《瞬間の強き光は石壁に人を影としたましひ消しぬ（後藤進）》永田和宏選、《原爆の地をふるさとに持つ父の八月六日静かなる背な（小田龍聖）》馬場あき子選。

「朝日俳壇」《ゴー・ステイ飼い馴らされて終戦日（勝田敏勝）》高山れおな選、《十歳が八十五歳敗戦忌（大村森美）》大串章選。

「僕でも参加できますか?」

〈9月13日〉「もしもし。無言宣伝の事務局ですか?」「そうです」「僕でも参加できますか?」「?・?」「僕、社民党の党員なんです」「どこの政党に属していようが政党員でなくても参加できます。国籍も政治的態度も関係ありません。発言も自由です」「わかりました」「僕はヘルパーさんの手を借りて、チラシ100枚を白梅町駅の周辺にまきました。新聞にチラシ1000枚を折込みました」「僕も参加します」とのメッセージ。

9月21日（月、休）の無言宣伝は、正午から1時まで、「無言、ではいられない」と題して行われます。スピーチ、音楽、署名、チラシ撒き、無言など何でもかまいません。この日、のぼり旗5本が京都の西北、北野白梅町にひるがえります。

〈9月14日〉 秋晴れの、ぬけるような澄んだ空、気持ちいい。大坂なおみさんの、人種差別を許さないとの強いメッセージを胸に白梅町へ。世界で2900万人近いコロナウイルス感染者、列島でも変わらず増えている。歩行者少なく、市バスの乗客も少ない。1人だけというバスもあり、観光バスが今日は4ヶ月ぶりに4台、しかし乗客0人。いただいた〝アベノマスク〟に〝憲法〇〟と書き、〝戦争させない〟のプラスターを胸に、ゴリちゃん＋ミッキーちゃん＋ミニーちゃん＋白うさぎのしろっきーちゃんら入れ替り立ち替りの11人で、7時40分から9時まで無言宣伝。会釈してくれた人数人、声掛け1人。

13日「朝日歌壇」《農業に不要不急の文字はなし炎天背負ひ摘芽《てきが》に励む（山口恒雄）》馬場あき子選、《改憲を目指す背広がマスクして非戦の原稿読みて降りゆく（沓掛善久男）》永田和宏選。

「朝日俳壇」《法師蝉安倍政権の終り告ぐ（二宮正博）》長谷川櫂選。

〈9月21日〉 快晴、秋晴れの連休。通る人の顔も優しい。世界で3100万人を超えたコロナウイルス感染者、列島でも変わらず増えている。休日ゆえか、旅行客や歩行者多し。市バスの乗客も増えた。観光バスが今日は0台。いただいた〝アベノマスク〟に〝憲法〇〟と書き、〝アベ政治を許さない〟のプラスターを胸に、ゴリちゃん＋ミッキーちゃん＋ミニーちゃん＋白うさぎのしろっきーちゃんら入れ替り立ち替りの30数人で、11時40分から1時まで「無言、ではいられない」という名の無言宣伝。ミュージシャン3組が音楽を奏で、市民4人と政治家2人が、菅内閣の評価に触れ、米軍優先のコロナ政策を糾弾、京都市政の高級ホテル優先政策を糾弾するなどした。会釈する人多数、カンパをくれた人も。

20日「朝日歌壇」《高校の昼のチャイムで目を覚ますまだ大学に行けない私（赤松みなみ）》佐佐木幸綱・永田和宏選、《常に似ず火床減らした送り火に鐘の音和するコロナ禍の京（近藤克己）》高野公彦選。

「朝日俳壇」《若妻を画布に残して出撃す（橋本直樹）》長谷川櫂選評「無言館にて。思えば凄《すさ》まじい時代だった。無季」。

菅内閣ができた。「自助」を強調し、「自助」を最優先する政治は、政府・政治の役割を投げ捨てる暴挙・暴論、反対だ。解散・総選挙もささやかれている。希望あふれる国・地域を創る政治を、「公助」の充実こそが、コロナ禍にあえぐ人々と社会を救う。

〈10月5日〉曇り空、ときどき雨。世界で5300万人のコロナウイルス感染者、100万人近くの死者、列島でも変わらず増えている。いただいた〝アベノマスク〟に〝介入×〟と書き、〝辺野古に基地はいらない〟のプラスターを胸に、沖縄県の与那国からの参加者やゴリちゃん＋ミッキーちゃん＋ミニーちゃん＋白うさぎのしろっきーちゃんら入れ替り立ち替りの14人で、7時45分から9時まで無言宣伝。

菅総理による日本学術会議の会員6氏の任命拒否事件、これは民主主義に関わる大事件だ。1933年の京都帝国大学法学部教授の滝川幸辰の考えを問題にした権力は滝川を辞任に追いやった（滝川事件）。戦後の立命館大学の基礎を創った末川博もこの事件に抗議して辞任した。6氏の1人に立命館大学教授が含まれている。そんなミニレク。会釈する人何人か。

4日「朝日歌壇」《犯罪を犯ししごとく感染の個人情報市中を走る（額賀旭）》馬場あき子選、《お友達優遇以外は「道半ば」拉致も領土もコロナ対策も（島村久夫）》高野公彦選。

「朝日俳壇」《自粛自祝の敬老の日なりけり（多田羅初美）》大串章選。

日本学術会議への人事介入に抗議する

〈10月12日〉秋晴れの空、気持ちも晴れ晴れ。日本学術会議、学術を取り払えば、日本会議。衣の下から鎧が見える。世界で3700万人のコロナウイルス感染者、100万人を超える死者、列島でも変わらず増えている。いただいた〝アベノマスク〟に〝介入×〟と書き、〝日本学術会議への人事介入に抗議する〟のプラスターを胸に、沖縄県の与那国からの参加者やゴリちゃん＋ミッキーちゃん＋ミニーちゃん＋白うさぎのしろっきーちゃんら入れ替り立ち替りの14人で、7時45分から9時まで無言宣伝。任命拒否の暴挙にあった松宮孝明教授は立命館大学の教員、にもかかわらず、立命館大学は「声明」も出さないことについて、沖縄県与那国の物産と音楽会の成功について、学生を対象にした無料食糧配布が成功したことについてのミニレク。

11日「朝日歌壇」《コロナ禍で仕事削《そ》がれし人々にまづ自助せよと新首相言ふ（畑中朝子）》高野公彦選、《七試合七つのマスク七つの名ナオミ・オオサカ成し遂げし業（篠原俊則）》永田和宏選。

「朝日俳壇」《宰相のすんなり決まる国の秋（田中節夫）》長谷川櫂選。

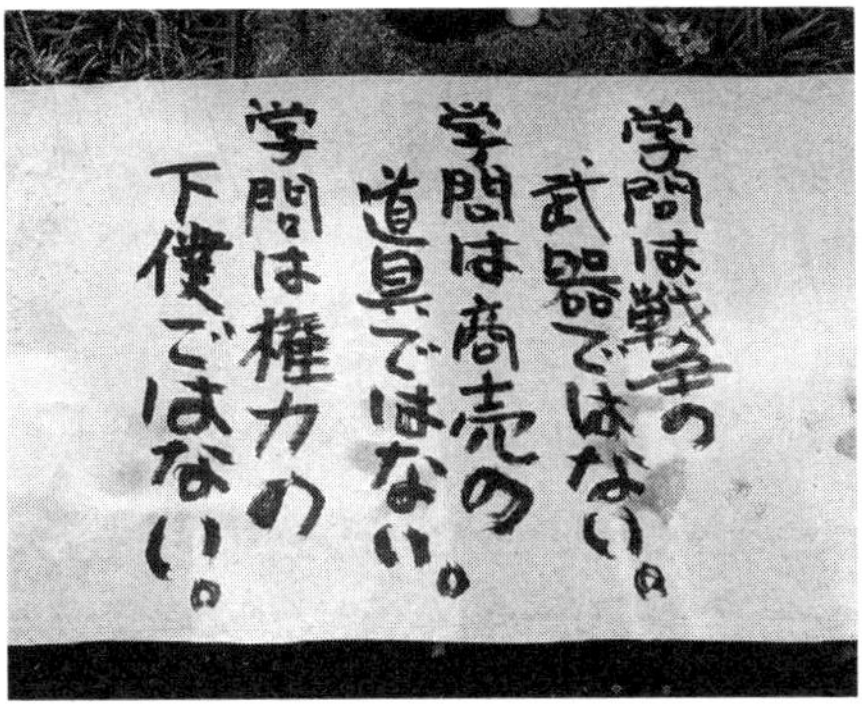
学問は戦争の
武器ではない。
学問は商売の
道具ではない。
学問は権力の
下僕ではない。

日本の民主主義に関わる大事件だ。菅総理による、日本学術会議の6人の会員の任命拒否事件、要反撃！10月20日(火)の18時30分、キャンパスプラザで、介入抗議の集会が開催される。松宮孝明さんも発言する。

〈**10月26日**〉 秋晴れ、雲が高い。観光バス2台、生徒の姿見えるも学生の姿チラホラ。世界で4200万人を超えたコロナウイルス感染者、110万人を超える死者、列島でも勢いは変わらない。いただいた〝アベノマスク〟に〝介入×〟と書き、〝みんなのための政治をとり戻す〟のプラスターを胸に、ゴリちゃん＋ミッキーちゃん＋ミニーちゃん＋白うさぎのしろっきーちゃんら入れ替り立ち替りの10人で、7時45分から8時55分まで無言宣伝。11月3日午後、円山野外音楽堂でおこなわれる憲法集会で、『「連れ合い」と「相方」―「介助される側」と「介助する側」』を販売するとの連絡やバイオリニストのコンサートをするとの告知などのミニレク。会釈2人、ハイタッチ1人。

25日「朝日歌壇」《意に沿わぬ人物はずし適切と早くも出づる一強の暴（小島文）》永田和宏選、《政権に嫌われてこそ学者なれガリレオカント滝川美濃部

〈中村幸生〉》馬場あき子選。

「朝日俳壇」《コロナ死者世界百万秋深む〈笠井彰〉》長谷川櫂選。

核兵器禁止条約の批准国が50カ国になり、2021年1月22日に発効する。朗報!!

コロナ禍、観光バスゼロ続く

〈11月2日〉 大阪市なくそうという住民投票、分割反対の意見多数!!! 雨の無言宣伝。観光バス0台、生徒の姿見えるも学生の姿チラホラ。世界で4600万人を超えたコロナウイルス感染者、120万人を超える死者、列島でも勢いは変わらない。いただいた〝アベノマスク〟に〝介入×〟と書き、〝祝〟のプラスターを胸に、ゴリちゃん+ミッキーちゃん+ミニーちゃん+白うさぎのしろっきーちゃんら入れ替り立ち替りの14人で、7時45分から9時まで無言宣伝。全員がミニレク、大阪の画期的勝利について、菅首相の出身地・秋田県について、絵についての新情報のミニレク。プラスターを写真に収める人1人、会釈する人3人、顔見知りの人1人だけ。

1日「朝日歌壇」《あなたじゃない拒否されたのは民主主義だ　欠けゆく月が日本を照らす〈岡本秀美〉》永田和宏選。

「朝日俳壇」《闘論や恐竜の如秋の陣〈中西洋〉》長谷川櫂選評「牙むき出しの言葉の闘い。アメリカ大統領選」。

〈11月9日〉 快晴！　観光バス0台。世界で5000万人を超えたコロナウイルス感染者、130万人になろうかという死者、列島でも勢いは増している。いただ

いた〝アベノマスク〟に〝介入×〟と書き、〝気候変動に立ち向う〟のプラスターを胸に、ゴリちゃん＋ミッキーちゃん＋ミニーちゃん＋白うさぎのしろっきーちゃんら入れ替り立ち替りの15人で、7時45分から9時まで無言宣伝。新自由主義に関する学習会、京北での楽しい集まり、23日正午からの「無言、ではいられない」という名の無言宣伝についてのミニレク。会釈3人、プラスターを読んでいる人も。

8日「朝日歌壇」《ケストナー、ヘッセを焚書せしナチス想はす暴挙任命拒否は（菊池良治）》馬場あき子選。

〈11月23日〉曇り空、少し寒い、観光バス何台か。世界で５８００万人を超えたコロナウイルス感染者、１４０万人近くの死者、列島でも勢いは激増している。いただいた〝アベノマスク〟に〝介入×〟と書き、〝核兵器禁止条約　日本こそ参加を〟のプラスターを胸に、ゴリちゃん＋ミッキーちゃん＋ミニーちゃん＋白うさぎのしろっきーちゃんら入れ替り立ち替りの35人で、11時45分から1時まで、「無言、ではいられない」の無言宣伝。ミュージシャンが三線などの楽器を奏でて歌った。市民が日本学術会議問題、不登校の問題、給食問題などを語り、政治家が原発と市民負担増について見解を述べた。声かけ、会釈何人も。

22日「朝日歌壇」《国権の最高機関と習えどもそこに響くはこわれた言葉（田中ゆかり）》高野公彦選、《批准国地図上見れば小さくも核兵器禁止へ五十の重き（菅谷修）》馬場あき子選。

「朝日俳壇」《波乗りのごとしコロナの秋深む（三笠比呂史）》長谷川櫂選。

〈11月30日〉快晴、少し寒い、観光バス何台か。世界で６１００万人を超えたコロナウイルス感染者、１５０万人弱の死者、列島でも赤信号がともる。いただいた〝アベノマスク〟に〝介入×〟と書き、〝アベ政治を許さない〟のプラスターを胸に、ゴリちゃん＋ミッキーちゃん＋ミニーちゃん＋白うさぎのしろっきーちゃんら入れ替り立ち替りの14人で、7時

45分から9時まで無言宣伝。会釈する人何人か、顔なじみの人を何人も見ない。何がおこっているのか？

29日「朝日歌壇」《すこしづつ自由侵され諦めて慣れて忘れゆくのか我ら（村田知子）》永田和宏選、《除外されし加藤陽子の著書を読む「それでも、日本人は『戦争』を選んだ」（長瀬慧子）》高野公彦選。

「朝日俳壇」《為政者の言葉は魔術すがれ虫（荒井修）》高山れおな選。

ニューヨーク帰りの女性が参加

〈12月7日〉世界で6700万近くのコロナウイルス感染者、150万人強の死者、列島で赤信号がともる。カイロ6枚を貼り、赤い帽子を被り、いただいた〝アベノマスク〟に〝介入×〟と書き、〝改憲NO！〟のプラスターを胸に、ゴリちゃんら入れ替り立ち替りの14人で、7時45分から9時まで無言宣伝。アメリカのニューヨークから里帰りの女性が参加、大統領選挙とコロナ対応について、1月1日の正午から「無言、ではいられない」をやるとのミニレク、驚きの連続。会釈4人、うち一人は高校生、プラスターを読む人も。

6日「朝日歌壇」《「答弁は差しひかえる」と質問に首相は重ぬ民が慣れゆく（田中勝美）》佐佐木幸綱選、《コロナ禍の七万人の失職者「越冬」という言葉を思う（篠原俊則）》高野公彦選。

「朝日俳壇」《学問を敬はぬ国文化の日（寺本章）》長谷川櫂選。

〈12月14日〉アサの寒さが身に染みる。世界で7200万人をこえるコロナウイルス感染者、160万人強の死者、列島で新しい感染の波が起こる。カイロ8枚を貼り、赤い帽子を被り、いただいた〝アベノマスク〟に〝介入×〟と書き、〝答弁を控える×〟のプラスターを胸に、ゴリちゃん＋ミッキーちゃん＋ミニーちゃん＋白うさぎのしろっきーちゃんら入れ替りの14人で、7時45分から9時まで無言宣伝。1月1日の正午から「無言、ではいられない」をやる、与那国島の自衛隊の様子、米国帰りの人の歓迎会のミニレク。会釈する人何人も。
13日「朝日歌壇」《自殺者が増え始めているテレビではＧｏＴｏは得だとはしゃぎ続ける（野上卓）》佐佐木幸綱選。
「朝日俳壇」《フェイスガードより見る世の中や息白し（伏見真砂尾）》大串章選

〈**12月21日**〉晴れときどき曇り。世界で7700万人弱のコロナウイルス感染者、170万人弱の死者、列島で新しい感染者増の波が起きている。カイロ8枚を貼り、赤い帽子を被り、いただいた〝アベノマスク〟に〝介入×〟と書き、〝憲法をまもれ民主主義を取り戻せ〟のプラスターを胸に、ゴリちゃん＋ミッキーちゃん＋ミニーちゃん＋白うさぎのしろっきーちゃんら入れ替り立ち替りの15人で、7時45分から9時までの今年最後の無言宣

伝。観光バス1台（！）、人の姿が少ない。会釈するひと何人も。
20日「朝日歌壇」《二千人以上の人が亡くなって政府首脳は殊更触れず（小島敦）》高野公彦選。
「朝日俳壇」《レール無き終着驛《えき》や開戦日）》大串章選。

〈**12月30日**〉2020年、僕の10大ニュース
▽「堂本印象美術館」「立命館大学国際平和ミュージアム」「京都佛立ミュージアム」「京都市考古資料館」「承天閣美術館」「高麗美術館」「妙心寺」「龍安寺」「大徳寺」「北野天満宮」「平野神社」「映画館」などを訪れて、京都に蓄積されたものを愛でることが出来ました。▽毎月1回の「市民ウオッチャー京都」の幹事会、「3人書評会」と「白梅町憲法カフェ」、2ヶ月に1回の読書会、3ヶ月に1回の「障害者のことを語る勉強会」などに参加し、人の意

見に耳を傾け、学ぶことが出来ました。▽『紫式部』（京都高齢協くらしコープ）、『北山杉』（全障研京都支部）、『ひゅうまん京都』（京障連）に毎月連載し、『人権と部落問題』『ねっとわーく京都』『京都民報』などの求めに応じて小文をものに、「近畿高看」で講じました。「継続は力なり」▽今年も、学生時代の先輩、貧困を課題にした友人、親族など多くの人を送りました。「2006年、脳幹梗塞に倒れた僕は、倉敷市の病院に入院していた。彼は東京から来て見舞ってくれた。発病から3ヶ月、遠距離で見舞の人が少なかったがゆえ、彼の来訪は嬉しく励ましになった」とは僕の「悼」です。▽2013年、秘密保護法に「異議あり！」と始めた無言宣伝を今年も続けることが出来ました。1人から始まったこの取り組みですが、「無言、ではいられない」という名の無言宣伝に30人もの人が参加しました。

〈12月31日〉 続▽『近代の京都を創った人たち』（1月1日）と『入院の記　病室からの風景』（5月1日）の2冊の冊子を上梓しました。

▽今年も100冊の「読書雑記」をものに出来ました。

▽入院することのない年を過ごせました。

▽コロナ禍に呻吟し、政府は深刻な事態を認識していません。政府の策は国民感情と国民の窮状から離れてしまっています。「感染の自己責任化」と「補償なき休業の強制」の押しつけに対して、十分な補償がないことを批判し異議申し立てをすることこそが〝コロナ戦争〟に勝つ唯一の途です。「自粛強制」と「補償」を一体とした政策こそが、人びとが、勇躍してコロナ禍に立ち向える途です。コロナ禍の世界的な広がりは、「安全」と「安全保障」とは何かを問うています。同時に、「連帯」と「希望」が問われているのではないでしょうか。

▽政府権力の日本学術会議への介入事件が起こりました。1933年に京都帝国大学で発生した思想弾圧事件を、僕らは「滝川事件」（京大事件）と呼んでいる。35年の美濃部達吉の事件後（天皇機関説が右翼に問題にされ、美濃部は貴族院議員を追われた）の2つの事件を経て、日本の戦争政策は加速した。

2021年

岸田政権誕生、野党共闘で対峙を

〈1月1日〉曇りの空、ときどき粉雪が舞い、寒い昼です。世界で8200万人超のコロナ感染者、死者は180万人を超えました。今日1月1日に予定していた「無言、ではいられない」は、コロナ禍で中止です。僕は、連絡不十分で来てくださった方にお詫びするために嵐電白梅町駅まえ広場に来ました（2人は来られました）。「憲法○」と書いたマスクをして、「京都・北野白梅町駅前ひろば　無言の公共空間・アゴラ」と印刷したプラスターを持ちました。初詣の人でしょう、プラスターを読んで下さる人が何人もいらっしゃいました。この後、北野天満宮に初詣と洒落こみました。

12月27日「朝日歌壇」《安倍さんも「アベのマスク」をもうしないあれはいったいなんだったんだ（田村和江）》、《学術会議在り方云々述べるのは先《ま》づ六名を任命してから（畑中朝子）》永田和宏選。「朝日俳壇」《ワクチン待つ青き地球に十二月（大澤都志子）》大串章選評「コロナ禍に翻弄《ほんろう》された今年ならではの作」。

〈1月11日〉〈朋ありて著書贈られ一気に読む〉〈無言宣伝の記述ありて好ましい〉世界で9000万人弱のコロナ感染者、死者は190万人に及ぼうかという犠牲者です。日本でも、首都圏への緊急事態宣言の発出、正しくこわがるべし。今日11日の「無言宣伝」は「無言、ではいられない」です。ゴリちゃん＋ミッキーちゃん＋ミニーちゃん＋白うさぎのしろっきーちゃんら入れ替りの25人で、11時45分から1時までです。成人の日にも拘わらず人出は少なく、晴れ着姿は2人だけでした。会釈するひと何人も、挨拶は2人、政治家

2人がコロナ禍と門川京都市政の異常を語りました。僕は、〝戦争×〟と書いたマスクをして、〝九条を守ろう！〟と印刷したのぼりを持ちました。

10日「朝日歌壇」《疲れたる白鳥のごとコロナ禍の看護師たちが仮眠している（小村宏）》馬場あき子選、《マスクして顔は隠れているけれど歩く姿であなたと判る（稲葉茂）》佐佐木幸綱選、《六年間五十億キロの旅をして「はやぶさ2」はコロナの星へ（人見江一）》高野公彦選、《学術は僕《しもべ》であると見做《な》されてその忠誠が求められ行く（二宮正博）》永田和宏選。

「朝日俳壇」《マスクして過しし年を惜しみけり（藤田定雄）》長谷川櫂選、《疾病に耐ふる列島冬怒濤《どとう》（荻原葉月）》大串章選。

18日に通常国会が召集される。とんちんかんなコロナ禍対策の改革、積もりに積もったこの10年弱の政治の「垢」を除くこと、日本学術会議への乱暴な介入など論議することが多い。1月22日、世界の人々の希望であった核兵器禁止条約がようやく発効する。ところが、日本政府は埒外！

高校の友人、60年ぶりの再会

〈1月18日〉〈晴れわたる広い天空突き抜ける〉世界で9500万人弱のコロナ感染者、死者は200万人超と言います。日本でも、緊急事態宣言の発出、正しくこわがるべし。今日18日の無言宣伝です。ゴリちゃん＋ミッキーちゃん＋ミニーちゃん＋白うさぎのしろっきーちゃんら入れ替り立ち替りの11人で、7時45分から9時までです。僕は、〝壊憲×〟と書いたマスクをして、〝憲法を守ろう！〟と印刷したのぼりを持ちました。高等学校時代の友人が顔を見せてくれました。60年ぶりの出会いです。彼は、僕が無言宣伝（定時定点）をしている事を知って来てくれたのでしょう。嬉しい嬉しい出来事でした。

17日「朝日歌壇」《枯葉落ち桜並木の向う側マスクの列がゆれて通りぬ（中川志恵乃）》佐佐木幸綱選、《ナース言う「気持をわきに置いてただ処置するのみまるで戦場」（原里江）》永田和宏選。

「朝日俳壇」《マスクずらし一口飲んでまた戻す（竹内宗一郎）》長谷川櫂選、《コロナ禍を読書三昧暮早し（日下總一）》大串章選。

〈1月25日〉朝陽燦燦、今朝も飛行機雲を見ることなく青い空が広がる、暑いほどの朝。〈「ダメですよ」と訪看さん声険し〉〈ケアマネが緊急事態で行けないと〉世界で1億人弱のコロナ感染者、死者は210万人超と言います。京都にも、緊急事態宣言の発出、罹患がとまらない。今日25日の無言宣伝です。ゴリちゃん＋ミッキーちゃん＋ミニーちゃん＋白うさぎのしろっきーちゃんら8人で、7時45分から9時までです。僕は、〝壊憲×〟と書いたマスクをして、〝原発再稼働するな！〟と印刷したのぼりを持ちました。

24日「朝日歌壇」《小惑星の砂持ち帰る技術あれど事故炉の内部探り切れない（柴崎茂）》高野公彦選、《コロナ禍に特効薬なく死者二千なほおそろしき自殺者二万（籾山肇）》永田和宏選、《辺野古には沖縄戦の激戦地の遺骨まじりの土砂埋め立つと（福田万里子）》馬場あき子選、《おすそわけ・裏金・わいろ・忖度のスタンプ売ってる街の文具屋（川野雄一）》佐佐木幸綱選。

「朝日俳壇」《元旦も白衣の天使走りけり（釋蜩硯）》大串章選、《教へ子は可愛ゆきものよマスクして（岩田桂）》長谷川櫂選。

〈2月1日〉冷える朝、カイロを8枚貼りました。世界で1億人強のコロナ感染者、死者は220万人超と言います。京都の緊急事態宣言発出は3週間、罹患がとまりません。今日2月1日の無言宣伝。ゴリちゃん＋ミッキーちゃん＋ミニーちゃん＋白うさぎのしろっきーちゃんら11人で、7時45分から9時まで。僕は、〝壊憲×〟と書いたマスクをして、〝辺野古に基地はいらん！〟と印刷したのぼりを持ちました。京都の宇治田原町長選の報告、沖縄の浦添市長選への支援の訴えについてミニレク。「ガンバレ」の声掛け、会釈が数人。

31日「朝日歌壇」《元日の朝に保健所職員が感染経

路追えぬを詫びる（篠原俊則）》佐佐木幸綱選、《美しい国を唱えてきた人の美しからざる釈明を聞く（中原千絵子）》高野公彦選。

「朝日俳壇」《初日の出地球も人も変わりけり（田中祥治）》大串章選評「コロナ禍の影響で世界中の生活様式が一変した。パンデミックの一日も早い収束を願う」。

世界のコロナ感染1億人突破

〈**2月8日**〉雲と青空が半々、寒くはない冬の天気。世界で1億人強のコロナ感染者、死者は220万人超と言います。京都の緊急事態宣言延長、罹患がとまりません。今日は2月8日、無言宣伝です。ゴリちゃん＋ミッキーちゃん＋ミニーちゃん＋白うさぎのしろっきーちゃんら10人で、7時45分から9時までです。僕は、〝壊憲×〟と書いたマスクをして、〝消費税を5％にもどせ！〟と印刷したのぼりを持ちました。浦添市長選へのカンパのお礼について、21日のマダムのコンサートについてミニレク。通りがかりの人が、大きな絵手紙を見て質問、ＰＣＲ検査体制の不備などについて対話、会釈数人。

7日「朝日歌壇」《三が日レタス植えおりコロナ禍に母国へ帰れぬ実習生が（篠原俊則）》馬場あき子・佐佐木幸綱選。

「朝日俳壇」《戦争の昭和丸ごと生きて冬（神戸道長谷川櫂選。

〈**2月15日**〉強い雨だけど寒くはないアサ。水たまりができている。世界で1億1000万人弱のコロナ感染者、死者は240万人と言います。京都の緊急事態宣言延長、罹患がとまりません。今日は2月15日、無言宣伝です。ゴリちゃん＋ミッキーちゃん＋ミニーちゃん＋白うさぎのしろっきーちゃんら12人が入れ替り立ち替りで、7時45分から9時まで無言宣伝です。僕は、〝壊憲×〟と書いたマスクをして、〝9条壊すな！〟と印刷したプラスターを胸から下げました。なんとなんと、通りがかった「有力者」が多額！の募金をしてくれました。チョコレートも何人かから差し入れ。

14日「朝日歌壇」《吹雪の中車を走らす利用者へリモートできぬ介護ヘルパー（高橋貴子）》佐佐木幸綱選、《戦争を知らないわれが引き込まれ読みてつぶさに知りし『昭和史』（前田良一）》永田和宏選、《図書館は注文の多い料理店手洗え　名を書け　そこに本置け（中野富恵子）》馬場あき子選。

「朝日俳壇」《薄氷のやうな首相のことばかな（加藤宙）》長谷川櫂選。

〈2月22日〉 三寒四温とはよく言ったもので、今朝は2月にも拘わらず温い。快晴、空がどこまでも碧い。今日も飛行機雲が見えません。〝異常気象〟が日常化する怖さを痛感しています。世界で1億2000万人弱のコロナ感染者、死者は250万人弱と言います。京都の緊急事態宣言、今週にも解除かと言われていますが…。今日は2月22日の無言宣伝です。ゴリちゃん＋ミッキーちゃん＋ミニーちゃん＋白うさぎのしろっきーちゃんら11人が入れ替り立ち替りで、7時45分から9時まで無言宣伝です。僕は、〝壊憲✕〟と書いたマスクをして、〝改憲NO！〟と印刷したオレンジ色のノボリを持ちました。コロナのワクチン、嗅覚がないことの怖さ、バイオリンコンサートについてミニレク。ゴリちゃんをしみじみ見る人何人か。

21日「朝日歌壇」《赤貧とコロナの中へ出獄す失うものを持たぬ青空（十亀弘史）》高野公彦選評「出獄しても待っているのは貧困生活とコロナ禍。しかし作品には生きる気力が凛々《りんりん》と満ちている」、《スペイン風邪を生きぬきし詩人を福岡の獄で死なせた治安維持法（紺谷延子）》馬場あき子選評「詩人は尹東柱《ユンドンジュ》。民族独立運動の途上で獄死した」。

「朝日俳壇」《マスクしたまま福は内福は内（土井岳殺）》長谷川櫂選。

〈3月1日〉 暑いぐらいの3月、未だ3月の1日なのに…。世界で1億2000万人弱のコロナ感染者、死者は250万人超。京都の緊急事態宣言、政治は今日解除といいますが…。今日は3月1日の無言宣伝です。ゴリちゃん＋ミッキーちゃん＋ミニーちゃん＋白うさぎのしろっきーちゃんら10人が入れ替り立ち替りで、7時45分から9時まで無言宣伝です。僕は、〝壊憲×〟と書いたマスクをして、〝九条を守ろう！〟と印刷したノボリを持ちました。会釈する人何人か、競技姿の自転車女子がアイコンタクト、うれしい！空中タッチ1人。

28日「朝日歌壇」《爆死者の目が開きこちら見ていたと語る被爆者条約発効（塩谷凉子）》永田和宏選、《原発の避難経路とされし道どれも深々雪の降り積む（鈴木正芳）》馬場あき子選評「豪雪地帯。困惑も深い」、《弥生忌や十歳の子がもう二十歳《はたち》汚染水タンクはもう千基（美原凍子）》高野公彦選。

3・11震災、原発事故から10年

〈3月15日〉 青い空、黄砂が飛んでいるのかぼんやりしています。暑いぐらいの朝です。世界で1億2000万人強のコロナ感染者、死者は260万人超。京都では緊急事態宣言は解除されましたが……。恐らくその効果もあるでしょう、人出がおずおずと増えています。今日は3月15日の無言宣伝です。ゴリちゃん＋ミッキーちゃん＋ミニーちゃん＋白うさぎのしろっきーちゃんら、飛び入りの2人を含めて14人が入れ替り立ち替りで、7時45分から9時まで無言宣伝です。僕は、〝九条〇〟と書いたマスクをして、〝改憲NO！〟と印刷したノボリを持ちました。バイオリンコンサートに43人もの参加があったこと、マリンバコンサートの提案などのミニレク。

14日「朝日歌壇」《マスクせず怒鳴る利用者去ったあと非正規司書のかすかな吐息（佐藤研資）》佐佐木

幸綱選、《「絶対は戦争だけに使うこと」半藤さんの言葉がひびく（山口幸代）》馬場あき子選。

「朝日俳壇」《三・一一生者に重き十年目（杉山勝利）》長谷川櫂選。

〈3月29日〉今にも降り出しそうな曇り空、しかし温かくカイロ0でした。前週は入院中で参加できなかった無言宣伝、病院の4階から、北野白梅町の方角に無言宣伝に「参加」しました。「借景」の嵐電白梅町駅舎がようやく新しくなりましたが…。世界で1億3000万人弱のコロナ感染者、死者は280万人弱。京都では緊急事態宣言は解除されましたが…。恐らくその効果もあるでしょう、人出がおずおずと増えています。ゴリちゃん＋ミッキーちゃん＋ミニーちゃん＋白うさぎのしろっきーちゃんら13人が入れ替り立ち替りで、7時45分から9時まで無言宣伝です。僕は、〃壊憲×〃と書いたマスクをして、〃辺野古に基地いらん！〃と印刷したノボリを持ちました。嵐電の駅に入った女性が会釈をしてくれ、歩きびと3人が会釈をしてくれました。

28日「朝日歌壇」《原爆に父母を失い米兵の妻として生きて今日逝きし友（ソーラー泰子）》馬場あき子選・佐佐木幸綱選評「太平洋戦争から戦後の時代社会を、日米二つの国で振幅激しく生き抜いた友人への挽歌《ばんか》。こういう人生を送った人もいるのだ」。

「朝日俳壇」《十年をひと昔とせず東北忌（加藤西葱）》長谷川櫂選。

猛威続く、コロナパンデミック

〈4月5日〉今にも雨が降りそうな厚い雲、そのうえ寒いアサです。世界で1億3000万人強のコロナ感染者、死者は280万人弱。京都でも増えています。その影響でしょうか、人出が少ないように感じます。今日は4月5日の無言宣伝です。ゴリちゃん＋ミッキーちゃん＋ミニーちゃん＋白うさぎのしろっきーちゃんら13人が入れ替わり立ち替りで、7時45分から9時まで無言宣伝です。僕は、〝壊憲×〟と書いたマスクをして、〝九条を守ろう！〟と印刷したノボリを持ちました。会釈をしてくれた人が何人か、声掛けは1人。

4日「朝日歌壇」《福島で生きる覚悟の音生《あ》るる子が開きたるギター教室（澤田睦子）》馬場あき子選・佐佐木幸綱選、《水平に銃を構えて民を撃つミャンマー兵を「国軍」と呼ぶ（篠原俊則）》永田和宏選、《つぎつぎと後尾のみえぬデモ隊も銃を構える兵らも若き（篠原三郎）》永田和宏選評「ミャンマー軍による民衆の弾圧を詠う、二人の篠原さん。「国軍」とは何かという問い、デモ隊も兵士も共に国の将来を担うべき若者同士であるという現実。重い問題提起だ」。「朝日俳壇」《生ならず死をも奪はれ震災忌（日原正彦）》長谷川櫂選。

〈4月12日〉 快晴、強い風、飛行機雲が2筋！世界で1億3500万人のコロナ感染者、死者は300万人弱。京都でも「まん延防止等重点措置」宣言が今日出されました。その影響でしょうか、学生を除くと人出が少ないように感じます。今日は4月12日の無言宣伝です。ゴリちゃん＋ミッキーちゃん＋ミニーちゃん＋白うさぎのしろっきーちゃんら13人が入れ替わり立ち替りで、7時45分から9時まで無言宣伝です。僕は、〝壊憲×〟と書いたマスクをして、〝九条を守ろう！〟と印刷したノボリを持ちました。食糧支援の会についてのミニレク2件。会釈をしてくれた人が何人も、声掛けは1人、今回も人気のゴリちゃん。

11日「朝日歌壇」《遺骨眠る土砂で辺野古の海埋めるあなたの父母のものでもできるか（森谷弘志）》高野公彦選、《原爆も原発も知る唯一の国に無限に増えゆく汚染水タンク（南條憲二）》馬場あき子選。

「朝日俳壇」《鳥帰る原爆落ちし上空を（青野迦葉）》長谷川櫂選。

16日に日米首脳会談が開かれます。コロナ感染者が世界一の米国とコロナ禍にあえぐ日本が会うのであれば、この問題に深く触れるべきです。「米国のポチ」として尻尾を振る首相は見たくもありません。

〈4月19日〉 快晴、風強し。世界で1億4000万人のコロナ感染者、死者は300万人強。京都でも「まん延防止等重点措置」宣言が出されています。今日は4月19日の無言宣伝です。ゴリちゃん＋ミッキーちゃん＋ミニーちゃん＋白うさぎのしろっきーちゃん＋チコちゃんら14人が入れ替り立ち替りで、7時45分から9時まで無言宣伝です。僕は、〝壊憲×〟と書いたマスクをして、〝戦争させない〟と印刷したプラスターを胸にしました。会釈する人が数人、声をかけてくれた人は1人、ゴリちゃんを見つめる人も1人。

18日「朝日歌壇」《バス黙乗　銭湯黙浴　店黙食黙々歩けば沈丁花の香（松尾信子）》高野公彦選、《廃業のあれやこれやの感傷に全喪届の法律用語（徳永光城）》佐佐木幸綱選。

「朝日俳壇」《ふる里にマスクの地蔵山笑ふ（蜂巣幸彦）》大串章選。

「アベノマスク」の使い道は？

〈4月25日〉 新型コロナウイルスに立ちむかう時、役にたつのがマスクです。飛沫をふせぐからです。さまざまなマスクが出回りましたが、そのなかで最も評判が悪かったは例の「アベノマスク」でした。大半の人が使わなかったのではないでしょうか。コロナ禍の最大の「愚策」でした。自分のもの、人から頂戴した「アベノマスク」の利用度を高めようと、「憲法〇」「9条〇」「介入×」「改憲×」などと書いて使いました。「アベノマスク」がよごれてしまいましたので廃棄、最近ではベトナム製のマスクを使うようになりました。このマスクは「4層フィルター　不織布」と書いてあるそれです。縦に長いもので「アベノマスク」とは大ちがい、「月とスッポン」です。「壊憲×」「九条○」などと書いて無言宣伝で使っています。「たかがマスク、されどマスク」です。ワクチン接種のめどさえ不明な今、僕が出来ることのコロナ禍対策のひとつはマスク着用です。今日25日の京都も、緊急事態宣言の対象地となりました。「オリパラ開催」を「絶対目標」にすることを止めて、抜本的で有効なコロナ対策をとるべきです。

〈5月3日〉 快晴の憲法記念日。世界で1億5000万人強のコロナ感染者、死者は320万人弱。京都でも「非常事態」が宣言されました。今日は5月3日の無言宣伝です。「日本学術会議事件」の当事者である松宮孝明さん（立命館大学教授）＋ゴリちゃん＋ミッキーちゃん＋ミニーちゃん＋白うさぎのしろっきーちゃん＋チコちゃんら25人が入れ替り立ち替りで、正午から1時まで無言宣伝です。僕は、〝9条○〟と書いたマスクをして、〝九条を守れ！〟と印刷したノボリを持ちました。声をかけてくれる人、会釈してくれた人があいつぎました。

2日「朝日歌壇」《ワクチンも女性の社会進出も「発展途上国」の我が国（朝広彰夫）》馬場あき子選、《聖火リレー「復興五輪」を掲げるも住民ゼロの被災地通らず（隅元直子）》永田和宏選。

「朝日俳壇」《ぬかるみの彼方憲法記念の日（佐藤茂）》長谷川櫂選、《春愁やコロナ騒ぎに聖火行く（出村国）》大串章選。

改憲原案を発議する権限を持つ憲法審査会ですが、6日に開かれる予定の衆院憲法審査会で「憲法改定原案」（壊憲法案）が採決されようとしています。「改憲」に執念を燃やす自民党の企みをゆるすわけにはいきません!!

〈5月10日〉 快晴、汗が出ます。世界で1億6000万人弱のコロナ感染者、死者は350万人弱。京都でも「非常事態」が5月31日まで延長されました。今日は5月10日の無言宣伝です。ゴリちゃん＋ミッキーちゃん＋ミニーちゃん＋白うさぎのしろっきーちゃん＋チコちゃんら10人が入れ替り立ち替りで、7時45分から9時まで、16人で無言宣伝です。僕は、〝9条○〟と書いたマスクをして、〝辺野古に基地はいらん！〟と印刷したノボリを持ちました。京都壊しが猛烈な勢いで進んでいること、美術展が延期されていること、コンサートの計画、コロナ禍が身近なものになっていることなどについてのミニレク。

9日「朝日歌壇」《タテカン無き百万遍の交差点うつむきながら学生通る（武本保彦）》佐佐木幸綱選。

〈5月24日〉厚い雲、今にも雨が降りそう。世界で1億7000万人弱のコロナ感染者、死者は350万人程。京都でも「非常事態」が延長されました。今日は5月23日の無言宣伝です。ゴリちゃん＋ミッキーちゃん＋ミニーちゃん＋白うさぎのしろっきーちゃん＋チコちゃんら14人が入れ替り立ち替りで、7時45分から9時まで無言宣伝です。僕は、〝壊憲×〟と書いたマスクをして、〝辺野古に基地はいらん！〟と印刷したノボリをもって座り続けました。ハイタッチ1人、会釈する人数人、ゴリちゃんに目をやる人何人も、プラスターを読んでくれた人何人も。

23日「朝日歌壇」《原発に溜まる一方の「汚染水」を海に流すに「処理水」と呼ぶ（遠藤昭）》永田和宏選、《「路上飲み」「マスク警察」「帰省狩り」コロナは日本の言葉も汚す（篠原俊則）》佐佐木幸綱選。

〈6月7日〉快晴、暑いぐらい。中には半ズボン、半そでの人も。世界で1億7000万人強のコロナ感染者、死者は370万人強。京都でも「非常事態」が、6月20日まで再々延長されました。今日は6月7日の無言宣伝です。ゴリちゃん＋ミッキーちゃん＋ミニーちゃん＋白うさぎのしろっきーちゃん＋チコちゃんら14人が入れ替り立ち替りで、7時45分から9時まで無言宣伝です。僕は、〝壊憲×〟と書いたマスクをして、〝消費税を5％にもどせ！〟と印刷したノボリをもって座り続けました。手を挙げ、話しかける人、会釈何人か。

6日「朝日歌壇」《寡黙なる人で溢れるコロナ禍のハローワークと云ふ密に居る（池田雅一）》佐佐木幸綱、《六割が改憲望む四割に私はいよう初夏の空見る（篠原俊則）》永田和宏選。

「朝日俳壇」《ふるさとへ命をかけし帰省かな（小川弘）》長谷川櫂選評『コロナ戦争』と前書《まえがき》。たしかに命がけ」。

五輪強行に疑問続出

〈6月21日〉晴れ、暑い。刻々と姿を変える雲が上空の風を教えてくれるようでした。世界で1億8000万人弱のコロナ感染者、死者は390万人弱。京都でも「非常事態宣言」が昨日で終わり、今日21日から「蔓延防止宣言」が出されました。今日は6月21日の無言宣伝です。ゴリちゃん＋ミッキーちゃん＋ミニーちゃん＋白うさぎのしろっきーちゃん＋チコちゃんら13人が入れ替り立ち替りで、7時45分から9時まで無言宣伝です。僕は、〝9条〇〟と書いたマスクをして、〝原発再稼働するな！〟と印刷したノボリを持ちました。出勤途上の女性が声をかけてくれ、親子づれが丁寧なあいさつをしてくれました。

20日「朝日歌壇」《再調査しないと総理の一言で赤木ファイルは再び闇へ（荻原葉月）》永田和宏選。

「朝日俳壇」《夏空をぱれすちな何ぞぱれすちな（吉竹純）》高山れおな選評『夏空を』通じての攻撃の応酬。平仮名表記で固有名詞をオノマトペ化しつつ、やるせない感情を込める」。

〈6月28日〉晴れ、暑い！かつむしむし！ 世界で1億8000万人強のコロナ感染者、死者は390万人強。京都でも「蔓延防止宣言」が出されています。今日は6月28日の無言宣伝です。ゴリちゃん＋ミッキーちゃん＋ミニーちゃん＋白うさぎのしろっきーちゃん＋チコちゃんら14人が入れ替り立ち替りで、7時45分から9時まで無言宣伝です。僕は、〝9条〇〟と書いたマスクをして、〝辺野古に基地いらん！〃と印刷したノボリを持ちました。「ご苦労さま！」と声をかけると、1年間無言を貫いてきた路上に散らかるゴミを拾う人が、微笑んで会釈を返してくれました。ハイタッチひとり。

27日「朝日歌壇」《「復興」の掛け声徐々に薄れきて「やるためにやる五輪」となりぬ（白鳥孝雄）》馬場あき子・永田和宏選。

「朝日俳壇」《休業が閉店となる五月闇（松原薫）》大串章選。

〈7月5日〉 蒸し暑い朝。東京都議選。立憲民主の勢力の前進が総選挙での与野党逆転の現実的可能性を示しました。世界で1億8000万人強のコロナ感染者、死者は400万人弱。京都でも「蔓延防止宣言」が継続中です。今日は7月5日の無言宣伝です。ゴリちゃん＋ミッキーちゃん＋ミニーちゃん＋白うさぎのしろっきーちゃんら12人が入れ替り立ち替りで、7時45分から9時まで無言宣伝です。僕は、〃9条〇〃と書いたマスクをして、〃祝〃と書いたものを胸から下げ、〃九条を守ろう！〃と印刷したノボリを持ちました。声を掛けてくれた親子、ハイタッチの女性、会釈は何人か。

4日「朝日歌壇」《触れ合いをしてはいけない祭典のオリンピックは何を目指すか（二宮正博）》永田和宏選。

「朝日俳壇」《接種医の白衣を揺らす扇風機（小関新）》高山れおな選

7月4日に投票を迎えた東京都議選、立憲民主勢力の大前進!! 自公政権を直撃、過半数をとれず。秋には行われる総選挙での立憲民主勢力の前進に多大なる影響!!

〈7月12日〉 どんよりした、重苦しいような曇り、典型的なむしむしする梅雨空です。世界で1億8000万人強のコロナ感染者、死者は400万人弱。京都では「蔓延防止宣言」が昨11日で終わりましたが…。新型コロナ感染が終わったというわけでもありませんし、新しい型のウイルスも流行っています。今日は7月12日の無言宣伝です。ゴリちゃん＋ミッキーちゃん＋ミニーちゃん＋白うさぎのしろっきーちゃん、チコちゃんら12人が入れ替り立ち替りで、7時45分から9時まで無言宣伝です。僕は、〝9条〇〟と書いたマスクをし、〝改憲ＮＯ！〟と書いたノボリをもって参加しました。会釈し、声をかける人が何人か、ヘッドライトを点滅し合図するドライバーは1人、ハイタッチ1人。

11日「朝日歌壇」《オリンピックに固執する理由《わけ》ただ一つ　政権浮揚　だから言えない（十亀弘史）》高野公彦選、《苦しそうな声上げながらたくさんの隠し事飲み込むシュレッダー（山田真人）》馬場あき子選。

「朝日俳壇」《大谷の夏至の空とぶホームラン（清水宏晏）》長谷川櫂選。

オリンピックの強行に不同意

〈7月19日〉カンカン照りの夏、アサから暑い。今夏初めてのつば広帽子をかぶりました。世界で1億9000万人のコロナ感染者、死者は400万人強。7月19日の無言宣伝。ゴリちゃん＋ミッキーちゃん＋ミニーちゃん＋白うさぎのしろっきーちゃん＋チコちゃんら13人が入れ替り立ち替りで、7時45分から9時まで無言宣伝です。僕は、〝9条〇〟と書いたマスクをし、〝オリンピック×〟と書いたプラスターを胸にさげ、〝改憲ＮＯ！〟と書いたノボリをもって参加しました。声をかけてくれた人、車の中から親指をたてて合図をしてくれた人、会釈してくれた人、ハイタッチの女性も。

18日「朝日歌壇」《開きさえすれば国中が熱狂しコロナのことは忘れてくれると（成田強）》永田和宏選、《復興ももてなしも消え安心さえ遥かに霞む五輪索漠（水谷実穂）》高野公彦選。

「朝日俳壇」《夏富士や国の衰へまざまざと（清水宏晏）》長谷川櫂選。

23日はオリンピックの開会式。新型コロナ禍に覆われたオリンピックに不同意だという意思を明らかにするため、白梅町駅まえ広場。23日午前11時から

11時30分での訴え、30分間です!!

〈7月26日〉台風が近づいているからか、ところどころに雲がある朝です。世界で1億9000万人のコロナ感染者、死者は410万人強。7月25日の無言宣伝は、ゴリちゃん＋ミッキーちゃん＋ミニーちゃん＋白うさぎのしろっきーちゃん＋チコちゃんら13人が入れ替わり立ち替わりで、7時45分から9時までです。僕は、〃壊憲×〃と書いたマスクをつけ、〃オリンピック×〃と書いたプラスターを胸に、〃改憲NO!〃と書いたノボリをもって参加しました。東京五輪についてのミニレクも。声掛け3人、会釈何人か。

25日「朝日歌壇」《沖縄の少女の詠みし「みるく世《ゆ》の謳《うた》」深き祈りをくり返し読む（小長光吟子）》馬場あき子選、《「痛別」が辛い別れの意味と知るリンゴ日報の一面の文字（篠原俊則）》高野公彦選。

「朝日俳壇」《ひもすがら手を洗ひをる我鬼忌かな（前島康樹）》長谷川櫂・高山れおな選。

〈7月29日〉石柱には「北野廃寺跡」と書かれています。1977年に京都信用金庫によって造られたもので、「無言宣伝」場所の向かい、京都市北区の北野白梅町角に立っています。京都盆地最古の寺（奈良時代に建立されたといいます）跡だそうです。直線距離で、300メートルほどのところに自宅はありますが、往時は「北野廃寺」の一部だったようで、寺域の広大さに驚かされます。渡来人が多かった太秦《うずまさ》から続く台地の東端に位置し、寺域は西大路と今出川通交叉点を中心とする範囲と推定されています。出土した瓦の「飛鳥時代軒丸瓦」は、今のところ京都盆地唯一の検出例です（京都市考古資料館の展示から教えられました）。高句麗系と百済系の二系統よりなるこの寺については広隆寺の前身の蜂岡寺とする説もあるそうです。仏教伝来以降、各地の豪族は自分の精神的支柱として寺院を建立します。京都では、多くが盆地を見おろす山すそに築かれました。遷都を果たした桓武天皇は、それまでの仏教勢力を抑えるために、平安京への寺院の移転を認めなかったと言います。平安京内には、官寺としては東寺・西寺が建立されただけです。平安京域外に遷都以前から存在していた豪族の寺院については別扱いでした。平安中期以降、豪族の力が衰えていくにしたがい信仰の源である寺院も荒廃していきました。現在まで残っている寺院もありますが、多くが衰微し、土の中に埋もれました。このように、後に発掘によって寺院と判明した遺構を「廃寺」というそうです。「北野廃寺」の寺域からは古墳時代から飛鳥時代にかけての竪穴式住居跡がいくつか発見されているそうです。悠久なる歴史に想いを馳せ無言宣伝を続けています。

〈8月9日〉《1945年8月9日、米軍機は長崎に原爆を落とした》台風の影響なのか、強風強雨の天候、見ていると雨傘を風に煽られる人多数。世界で2億人強のコロナ感染者、死者は430万人弱。京都では8月末までの蔓延防止措置が宣言されています。今日は8月9日の「無言、ではいられない」という名の無言宣伝です。ゴリちゃん＋ミッキーちゃん＋ミニーちゃん＋白うさぎのしろっきーちゃんら、入れ替り立ち替り国会議員など15人で、12時から1時まで「無言、ではいられない」でした。僕は、〝9条〇〟と書いたマスクをつけ、〝9条壊すな！〟と書いたプラスターをもって参加しました。会釈何人か、〝9条壊すな！〟と書いたプラスターを見た女性が、「私もそう思います」と大きな声で励ましてくれました。

　8日「朝日歌壇」《居酒屋の店主に罪のないごとく五輪選手にも罪はないのだ（浅倉修）》永田和宏選。「朝日俳壇」《雲の峰旧軍港の煉瓦《れんが》館（豊田征子）》大串章選。

五山の送り火の日に

〈8月16日〉台風の影響なのか、どんよりで厚い雲。ときおり雨がパラパラ。人出、車、圧倒的に少なし！世界で2億人強のコロナ感染者、死者は430万人強。京都では8月末までの蔓延防止措置が宣言されています。今日は8月16日の無言宣伝です。ゴリちゃん+ミッキーちゃん+ミニーちゃん+白うさぎのしろっきーちゃんら、人が入れ替り立ち替りの11人で、7時45分から9時まででした。僕は、〝9条〇〟と書いたマスクをつけ、〝野党共闘〟と書いたプラスターをもって参加しました。映画に描かれた戦争についてのミニレク。会釈は1人だけ。

15日「朝日歌壇」《戦死した兵の数だけ母がいて母が支えた戦後の平和（木村義熙）》高野公彦選。

「朝日俳壇」《原発の遺す抜け殻蟬時雨（天童光宏）》高山れおな選。

〈8月23日〉 人出、車、圧倒的に少なし！　世界で2億1000万人強のコロナ感染者、死者は440万人強。京都では9月12日まで非常事態宣言が出されています。今日は8月23日の無言宣伝です。ゴリちゃん+ミッキーちゃん+ミニーちゃん+白うさぎのしろっきーちゃんら、人が入れ替り立ち替りの12人で、7時45分から9時まででした。僕は、〝9条〇〟と書いたマスクをつけ、〝祝〟と書いたプラスターを胸から下げ、〝九条を守ろう！〟と書いたノボリをもって参加しました。22日の松元ヒロライブのこと、横浜市長選挙に勝利した意義についてのミニレク。「おはようございます」の声掛け2人、会釈する人数人。

22日「朝日歌壇」《あす死ぬと知りし特攻あす死ぬと知らざりし父原爆前夜（大竹幾久子）》馬場あき子・高野公彦選、《コロナ禍は人間界の事象にてあたり一面ヒマワリ畑（馬場泰年）》佐佐木幸綱選。

「朝日俳壇」《八月や来れば戦の記憶また（松井憲一）》稲畑汀子・長谷川櫂選。

〈8月30日〉 朝から暑い!!　人出、車、圧倒的に少なし！　世界で2億1000万人強のコロナ感染者、死者は450万人弱。京都でも9月12日まで非常事態宣言が出されています。今日は8月30日の無言宣伝です。ゴリちゃんら、人が入れ替り立ち替りの11人で、7時45分から9時まででした。僕は、〝9条〇〟

と書いたマスクをつけ、〝消費税を5％に戻そう！〟と書いたノボリをもって参加しました。沖縄県からの参加者が〝不屈〟の意味についてミニレク。会釈し挨拶する人4組5人！

29日「朝日歌壇」《弁当が四千食も廃棄され路上生活者を狩る五輪（祢津信子）》高野公彦選、《オリンピック一切観ないと前見つめ医師は重たき声で言い切る（浅利早苗）》永田和宏選。

「朝日俳壇」《オリンピック勝て勝て勝てと敗戦忌（軽部玖美子）》高山れおな選。

菅総理、自民党総裁選に不出馬

〈9月6日〉菅さんが自民党の総裁選に不出馬、総理大臣も新しくなります。人も車も少なし、観光バス0。世界で2億2000万人弱のコロナ感染者、死者は450万人強。京都でも9月12日まで非常事態宣言が出されています。今日は9月6日の無言宣伝です。ゴリちゃん＋ミッキーちゃん＋ミニーちゃん＋白うさぎのしろっきーちゃんら、人が入れ替わり立ち替りの11人で、7時45分から9時まででした。僕は、〝9条〇〟と書いたマスクをつけ、〝辺野古に基地をつくるな！〟と書いたノボリをもって参加しました。「おはようございます」の声かけ3人、車の中からも会釈！

5日「朝日歌壇」《元号を四つ生きたる果てにして見せて貰える大賭博五輪（松村幸一）》高野公彦選。

「朝日俳壇」《広島に雲の峰立つ平和かな（宮川一樹）》大串章選。

〈9月13日〉朝陽が燦燦。暑いぐらい。9月8日、「安保法制の廃止と立憲主義の回復を求める市民連合」（市民連合）の提唱に応じて、「野党共闘」が「成立」しました。これには、立憲民主党、日本共産党、社会民主党、れいわ新選組が参加しました。「市民と野党の共闘」が出発したわけで、「これから」に期待したい大です。一方、自民党の総裁選も行われます。人も車も少なし、観光バス0。世界で2億2000万人強のコロナ感染者、死者は460万人強。京都でも9月30日まで非常事態宣言が延長されました。今日は9月13日の無言宣伝です。ゴリちゃん＋ミッキーちゃん＋ミニーちゃん＋白うさぎのしろっきーちゃんら、人が入れ替り立ち替りの14人で、7時45分から9時まででした。僕は、〝9条〇〟と書いたマスクをつけ、〝野党共斗〟と書いたプラスターを胸に、〝九条を守ろう！〟と書いたノボリをもって参加しました。嵐山にこれから行くという人がミニレク。声掛け2人、会釈何人も。嬉しい！

12日「朝日歌壇」《国は民を姥捨山へ置く気らし「中等症は自宅で過ごせ」と（遠藤昭）》高野公彦選、《点滴も入院もかなはず痩せし手を敢《あ》へて映してとウィシュマさん遺族（森谷弘志）》馬場あき子選。

「朝日俳壇」《「満州ニ死ス」と書かれし墓洗ふ（上田義明）》高山れおな選。

〈9月27日〉東の空に太陽、日差しがまぶしい。暑いぐらいの秋の朝。人出少なく、観光バス0台。京都では9月30日まで非常事態宣言が延長されています。今日は9月27日の「無言宣伝」です。ゴリちゃん、13人が入れ替り立ち替りで、7時45分から9時までです。僕は、〝9条〇〟と書いたマスクをつけ、〝政権交代〟と書いたプラスターを胸に、〝消費税を5％に戻せ！〟と書いたノボリをもって参加しました。「おはようございます」の声掛け4人、会釈2人。

26日「朝日歌壇」《花の名もおはじきも我に教えしはコロナの向こうで老いてゆく父（檜山かおり）》高野公彦選、《あの赤ちゃんその後どうなったんだろう米兵に託されたあの赤ちゃん（田中千佳子）》永田和宏選評「医療施設で治療を受け、父親のもとに戻されたとの報道が」。

「朝日俳壇」《飛行機を取り巻く難民秋の暮（釋蜩硯）》長谷川櫂選、《パラ背泳ぎ両腕《かいな》なく泳ぎきる（ひらばやしみきを）》大串章選。

〈10月4日〉快晴、あつい。非常事態宣言が無くなりました。人出が増え、観光バス3台！　今日は10月4日の「無言宣伝」です。ゴリちゃん＋ミッキーちゃん＋ミニーちゃん＋白うさぎのしろっきーちゃん、東京からの客人ら12人が入れ替り立ち替りで、7時45分から9時までです。僕は、〝野党共闘〟と書いたマスクをつけ、〝政策合意〟と書いたプラスターを胸に、〝九条を守ろう！〟と書いたノボリをもって参加しました。無言宣伝に参加したかったとのレクチャーも。声かけ5人、会釈何人も!!　かつてないことです。

3日「朝日歌壇」《「逃げられる人はいいよ」と退陣のニュースに居酒屋店主はポツリ（篠原俊則）》永田和宏・佐佐木幸綱選。

「朝日俳壇」《日本の闇日本の月を待つ（額田浩文）》長谷川櫂選。

自民党総裁に岸田さん、彼は本日、総理大臣に就任します。国会は会期を14日までの11日間、8日に所信表明演説、11～13日に衆参両院で所信に対する代表質問を行う日程と言われていて、岸田さんは14日に衆院解散に踏み切る見通しです。

〈10月11日〉快晴、あつい。非常事態宣言が無くなりました。人出が激増、観光バス何台も！　今日は10月11日の「無言宣伝」です。ゴリちゃん＋ミッキーちゃん＋ミニーちゃん＋白うさぎのしろっきーちゃん＋チコちゃんら13人が入れ替り立ち替りで、7時45分から9時までです。僕は、〝政権交代〟と書いたマスクをつけ、〝政策合意〟と書いたプラスターを胸に参加しました。心臓手術、選挙情勢についてのミニレク。「おはようございます」の声掛け4人、ハイタッチ1人、会釈何人も。

10日「朝日歌壇」《この国で「九一一」が語られてかの国語らぬ「八六」「八九」（遠藤知夫）》高野公彦選。「朝日俳壇」《平和とは不戦に非ず桐一葉（杵渕有邦）》長谷川櫂選。

〈10月18日〉朝陽燦燦、暑い位の朝。人出が激増、観光バス何台も！　今日は10月18日の「無言宣伝」です。ゴリちゃん＋ミッキーちゃん＋ミニーちゃん＋白うさぎのしろっきーちゃん＋チコちゃんら13人が入れ替り立ち替りで、7時45分から9時ごろまでです。僕は、〃政権交代〃と書いたマスクをつけ、〃野党共闘〃と書いたプラスターを胸に、〃原発再稼働するな！〃と書いたノボリをもって参加しました。声掛け5人、会釈する人何人も、変化を実感させてくれました。

17日「朝日歌壇」《副反応の熱のトンネル抜け出して朝のパン屋へ朝日を浴びて（松田わこ）》馬場あき子・高野公彦選、《無人機は百パーセント安全でいつも現地の人だけ殺す（田所純一）》永田和宏選評「米軍による誤爆。絶対安全な場所から無垢《むく》の子供たちの命を奪った。誤りで済むものではない筈《はず》」。明日19日に公示、31日に投開票で総選挙実施。

総選挙結果の悲喜半々

〈10月25日〉雨の朝。人出が激増しました、観光バス何台も！今日は10月25日、「天神さん」の日の「無言宣伝」です。ゴリちゃん＋ミッキーちゃん＋ミニーちゃん＋白うさぎのしろっきーちゃん＋チコちゃんら8人が入れ替り立ち替りで、7時45分から9時までです。僕は、〃野党共闘〃と書いたマスクをつけ、〃野党共闘〃と書いたプラスターを胸に参加しました。声掛け4人、会釈何人も。

24日「朝日歌壇」《約束の意味軽き国に棲み古《ふ》りて総裁候補の「やくそく」を聞く（中原千絵子）》佐佐木幸綱選、《「核兵器禁止条約」には触れずテレビで喋る総裁候補ら（寺下吉則）》永田和宏選。

「朝日俳壇」《木枯らしも監視カメラで視られてる（穴沢明彦）》高山れおな選。

〈**11月1日**〉喜び半分、悲しみ半分の選挙結果。暑いぐらいの快晴。人出が激増しました、観光バス何台も！　今日は11月1日の「無言宣伝」です。ゴリちゃん+ミッキーちゃん+ミニーちゃん+白うさぎのしろっきーちゃん+チコちゃんら14人が入れ替り立ち替りで、7時45分から9時までです。僕は、〃野党共闘〃と書いたマスクをつけ、〃改憲NO！〃と書いたノボリを持って参加しました。会釈する人5人、声掛け3人、「死んでる暇なしの意味がわかりました」の声掛けがうれしい！

10月31日「朝日歌壇」《速達で柩の母に手紙出すコロナで行けぬ思いをこめて（伊東紀美子）》高野公彦選。

野党共闘を強く求める

〈**11月8日**〉風の強い朝。今日は11月8日の「無言宣伝」です。ゴリちゃん+ミッキーちゃん+ミニーちゃん+白うさぎのしろっきーちゃん+チコちゃんら12人が入れ替り立ち替りで、7時45分から9時までです。僕は、〃野党共闘〃と書いたマスクをつけ、〃原発再稼働するな！〃と書いたノボリを持って参加しました。選挙の結果についてのミニレク2人。会釈する人4人、声掛け2人。

7日「朝日歌壇」《「とりあえずビール」と言うごと取り敢えず被災地へ行き「寄り添う」と言う（三船武子）》永田和宏選。

〈**11月15日**〉快晴の朝、されど冷え込む朝、風の強い朝。8枚のカイロをはりつけました。今日は11月15日の「無言宣伝」です。ゴリちゃん+ミッキーちゃん+ミニーちゃん+白うさぎのしろっきーちゃん+チコちゃんら15人が入れ替り立ち替りで、7時45分から9時までです。僕は、〃野党共闘〃と書いたマスクをつけ、〃辺野古に基地いらん！〃と書いたノボリを持って参加しました。心臓手術の顛末、絵手紙のお披露目についてミニレク。声掛け2人、会釈する人数人、タッチ1人。

14日「朝日歌壇」《特別ノ御高配トハ此レナノカ辺野古ヲ埋メル土砂トナル骨（中島加略人）》 馬場あき子選、《秋晴れに鴨川辺りを歩きつつ戦《いくさ》なき世を見渡してをり（五十嵐幸助）》 佐佐木幸綱選。

〈11月22日〉 雨、行動中も降りやみませんでした。6枚のカイロをはりつけました。今日は11月22日の「無言宣伝」です。横浜からの3人の観光客が「いつもありがとうございます」と言って握手！ ゴリちゃん+チコちゃんら12人が入れ替り立ち替りで、7時45分から9時までです。僕は、〝野党共闘〟と書いたマスクをつけ、〝野党共闘〟と書いたプラスターを胸からさげて参加しました。憲法9条をめぐる情勢のミニレク。声掛け3人、会釈5人、目合図2人。

21日「朝日歌壇」《マスクして第九を歌うテレビ観て歓喜するより悲愴を感ず（太田博之）》 佐佐木幸綱選、《説明せぬまま堂々と元総理・前総理その燃ゆる鉄面皮（森谷弘志）》 高野公彦選。

「朝日俳壇」《コロナ禍の開けゆく空に破芭蕉《やればしょう》（浮

田宏生）》長谷川曜選。

〈11月27日〉「障害者を締め出す社会は弱くてもろい社会だ」とは国連の言であり、障害者になる前からの僕の社会感でもある。京都市長選挙の3回（1993年、96年、2000年）とも、このフレーズを演説などで使ってきた。「足切りしない社会」「排除しない社会」を作り上げるために力を合わせたい。僕は障害者となったのが第2の人生を歩む契機となったとは思っているが、生き方を変えようとは考えていない。

僕は、障害者になる前から、人の役に立ちたいと考えてきた。考えるだけでなく、そのようにふるまってきたつもりだ。市長選挙に3回立ったのもそうだし、そのあとの活動もそうだ。あるときには、主役もつとめよう。あるときには下支え役も引き受けよう。この立場は今も変わらない。

僕の日常は人の援助なしには成り立たない。援助を受けることで、自立した暮らしが営める。連れ合い、訪問看護師、ＰＴ、ＳＴ、往診医師、鍼灸師、外出支援の人などの援助があるからこそ暮らしが成り立つ。依存することで自立できる。障害の有無とは無関係に（当たり前）、この国を「戦争する」国にするための動きが、立法を含めて急ピッチで進んでいる。主権者の一人である僕はこれを見過ごすわけにはいかない。自分の意思を表明する方法は多様だ。そうした中で、僕が選んだ行動が無言宣伝だった。脳幹梗塞の後遺症は社会へのアクセスをあきらめさせなかった。無言宣伝は集団的自衛権行使容認の戦争法反対・廃止とテーマは変化したが、そうした課題の前では、「障害の有無」は無関係だった。

〈12月6日〉厚い雲のアサの空。8枚のカイロをはりつけ、寒さ対策をしました。今日は12月6日の「無言宣伝」です。ゴリちゃん＋チコちゃんら11人が入れ替り立ち替りで、7時45分から9時までです。僕は、〃野党共闘〃と書いたマスクをつけ、〃辺野古に基地はいらん！〃と書いたノボリを持って参加しました。

1月1日正午から「無言、ではいられない」をすることなどのミニレク。声掛け2人、会釈何人も。

5日「朝日歌壇」《希望とは所詮叶わぬものらしい「望《のぞみ》」が「希《まれ》」とう読み方もある（戸沢大二郎）》永田和宏選、《「化石賞」とるため総理は専用機使いイギリス往復をせり（篠原俊則）」高野公彦選。

「朝日俳壇」《百代の首相も過客秋の空（神村謙二）》高山れおな選。

寒さ対策万全にして締めくくり

〈12月20日〉曇り時々はれのアサの空です。8枚のカイロをはりつけ、寒さ対策をしました。今日は、今年最後、12月20日の「無言宣伝」です。通る人少なし。ゴリちゃん＋ミッキーちゃん＋ミニーちゃん＋白うさぎのしろっきーちゃん＋チコちゃんら11人が入れ替り立ち替りで、7時45分から9時までです。僕は、〝野党共闘〟と書いたマスクをつけ、〝九条を守ろう！〟と書いたノボリを持って参加しました。1月1日正午から「無言、ではいられない」をすることなどのミニレク。声掛け1人、ハイタッチ1人、会釈何人か。

19日「朝日歌壇」《難民の少女がカメラ見つめており「ｓｏ ｃｏｌｄ」と額に書いて（篠原俊則）》馬場あき子選、《温暖化は廊下の手前に立つてゐるもはや奥とは言へぬ近さに（加藤将史）》高野公彦選。

〈12月30日〉《２０２1年、僕の10大ニュース》

▽「堂本印象美術館」「京都佛立ミュージアム」「京都市考古資料館」「承天閣美術館」「高麗美術館」「妙心寺」「龍安寺」「大徳寺」「北野天満宮」「平野神社」「映画館」などを訪れて、京都に蓄積されたものを愛でることが出来ました。「美しきものの名は?・」▽毎月1回の「市民ウオッチャー京都」の幹事会、「3人書評会」と「白梅町憲法カフェ」、2ヶ月に1回の「読書会」などに参加し、人の意見に耳を傾け、学ぶことが出来ました。▽『紫式部』（京都高齢協くらしコープ）、『北山杉』（全障研京都支部）に連載し、『人権と部落問題』『京都民報』などの求めに応じて小文をものにしまし

た。▽今年も、学生時代の先輩、貧困を課題にした友人、親族など多くの人を送りました。

〈12月31日〉続▽『悼辞　先に逝った人』（5月1日）と『二万五千字の旅路』（11月3日）の2冊の冊子を上梓しました。▽池添素と井上が支えあって、家の周りを毎日歩きました。「歩行リハビリ」です。▽今年も100冊の「読書雑記」をものに出来ました。▽残念ながら、3月に入院しました。「気胸」と診断されましたが、5日だけ入院。▽コロナ禍に呻吟しました。政府の策は国民感情と国民の窮状から離れてしまっています。「感染の自己責任化」と「補償なき休業の強制」の押しつけに異議申し立てをすることこそが〝コロナ戦争〟に勝つ唯一の途です。コロナ禍の世界的な広がりは、「安全」と「安全保障」とは何かを問うています。同時に、「連帯」と「希望」が問われているのではないでしょうか。

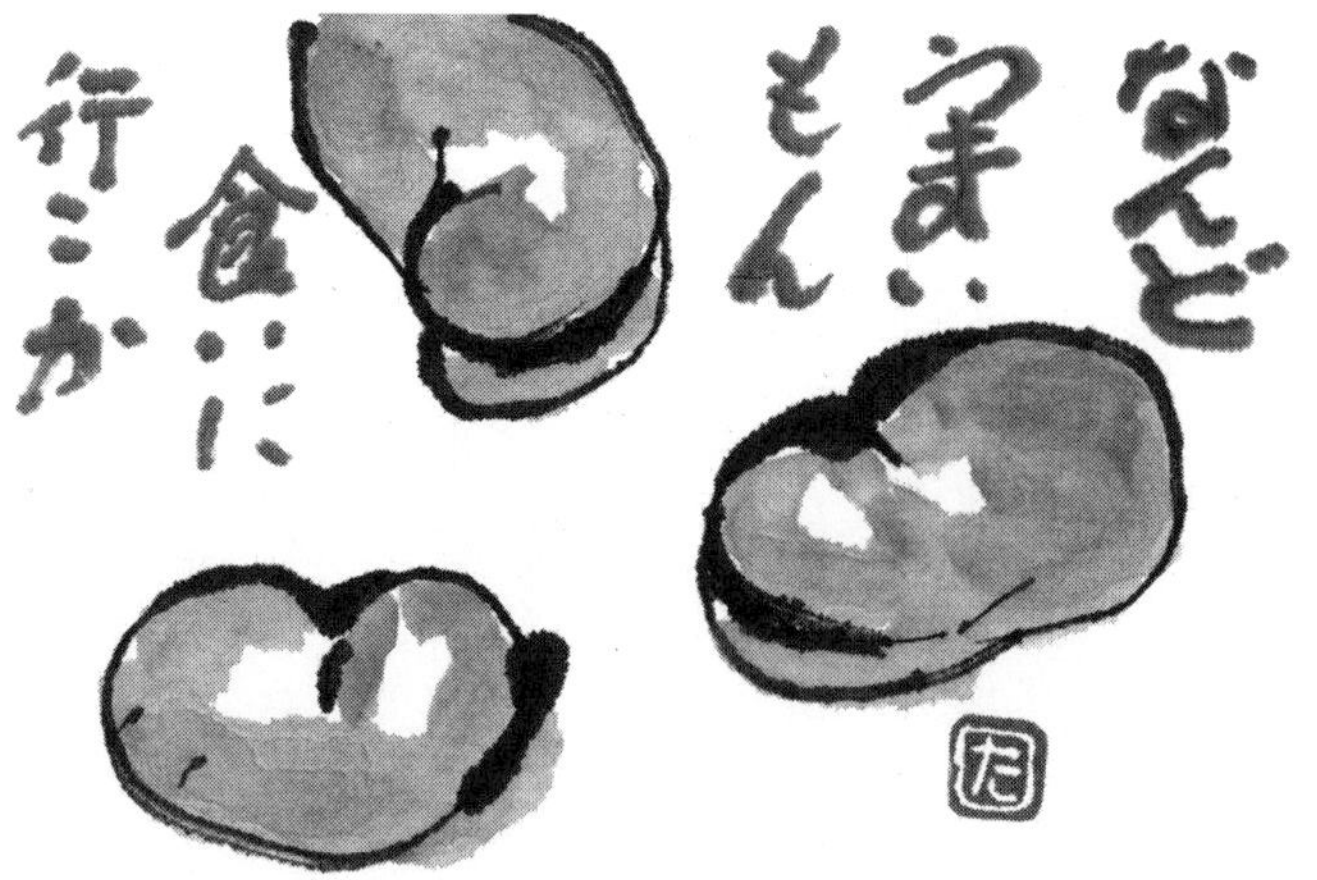

NO WAR!! ロシアのウクライナ侵略に抗議　2022年

元日に30人が訴え

〈1月1日〉曇りの空です。8枚のカイロをはりつけ、寒さ対策をしました。今日は、新年最初、1月1日の「無言、ではいられない」です。ゴリちゃん+ミッキーちゃん+ミニーちゃん+白うさぎのしろっきーちゃんら30人近くが入れ替り立ち替りで、正午から1時まで。僕は〃壊憲×〃と書いたマスクをつけ、〃殺すな殺されるな〃と書いたプラスターを胸に、〃壊憲NO!〃と書いたノボリを持って参加しました。ミュージシャン4人が奏で、スピーカー5人もアピールしました。

26日「朝日歌壇」《我家にもピストル一丁がしまわれて理屈ではないコロナ禍の日々（アメリカ・ソーラー泰子）》永田和宏選、《朝が来るこんな素敵な色をして東北の海被災地の空（佐藤隆貴）》馬場あき子選、《ひろしまの歴史辿《たど》れば軍都なり輜重隊《しちょうたい》という遺跡現る（吉川徳子）》佐佐木幸綱選。

「朝日俳壇」《大阿蘇の端にマスクを外しけり（古庄たみ子）》稲畑汀子選。

〈1月10日〉曇りの空です。8枚のカイロをはりつけました。今日は、新年10日の「無言、ではいられない」です。ゴリちゃん+ミッキーちゃん+ミニーちゃん+白うさぎのしろっきーちゃんら30人弱が入れ替り立ち替りで、正午から1時です。僕は〃壊憲×〃と書いたマスクをつけ、〃殺すな殺されるな〃と書いたプラスターを胸に、〃辺野古に基地はいらない!〃と書いたノボリを持って参加しました。沖縄県、大阪府からの参加者を含め、ミュージシャン1人、スピーカー6人が、植物園、原発、コロナ、米軍基地などをアピール。頷く人、声をかける人何人も。

9日「朝日歌壇」《爆弾のようにタンクを捨てるとは日本の空はアメリカの空（関龍夫）》馬場あき子選。

「朝日俳壇」《この人のマスクの他の顔知らず（三宅久美子）》長谷川櫂選。

おはよう、行ってらっしゃい

〈1月17日〉コロナ罹患者激増!! 曇りの空です。8枚のカイロをはりつけました。今日は、17日の「無言宣伝」です。ゴリちゃん＋ミッキーちゃん＋ミニーちゃん＋白うさぎのしろっきーちゃんら11人が入れ替り立ち替りで、7時45分から9時までです。僕は〝壊憲×〟と書いたマスクをつけ、〝野党共闘〟と書いたプラスターを胸に、〝辺野古に基地をつくるな！〟と書いたノボリを持って参加しました。淡路・神戸大震災、沖縄県名護市の選挙についてのミニレク、「おはようございます」「行ってらっしゃい」のごあいさつ、声かわし2人。

16日「朝日歌壇」《クーポンや現金給付しなければ暮らせぬ国で今日も暮らして（佐藤隆貴）》馬場あき子選。

「朝日俳壇」《半分のマスクの顔の不愛想（山内基成）》長谷川櫂選評「目は口ほどには語らない」。

〈1月24日〉コロナ罹患者激増!! 京都も蔓延防止措置の対象地域に。曇りの空です。8枚のカイロをはりつけました。今日は、24日の「無言宣伝」です。ゴリちゃん＋ミッキーちゃん＋ミニーちゃん＋白うさぎのしろっきーちゃんら12人が入れ替り立ち替りで、7時45分から9時までです。僕は〝壊憲×〟と書いたマスクをつけ、〝野党共闘〟と書いたプラスターを胸に、〝辺野古に基地はいらん〟と書いたノボリを持って参加しました。新美展に無言宣伝が出ること、松元ヒロ主演の映画が上映されるなどのミニレク。声かわし2人、会釈何人も。

23日「朝日歌壇」《改ざんし赤木氏の死で守りたる巨大な闇の本体はなに（島田紘一）》高野公彦選。

「朝日俳壇」《風花や村越化石思ふ草津》（荻原葉月）》大串章選評「村越化石はハンセン病を患い、草津の国立療養所栗生楽泉園で91歳の生涯を全うした。私は嘗て楽泉園を訪ね、化石から色々話を聞くことができた」。

〈1月31日〉 コロナ罹患者激増!!　京都も蔓延防止措置の対象地域に。通行人すくなし、観光バス0。晴れの空です。8枚のカイロをはりつけました。今日は、31日の「無言宣伝」です。ゴリちゃん＋ミッキーちゃん＋ミニーちゃん＋白うさぎのしろっきーちゃんら12人が入れ替り立ち替りで、7時45分から9時までです。僕は〃壊憲×〃と書いたマスクをつけ、〃9条こわすな！〃と書いたプラスターを胸に、〃九条をまもろう！〃と書いたノボリを持って参加しました。名護市の市長選挙、雑誌編集についてミニレク。声掛け2人、会釈数人。

30日「朝日歌壇」《二階席までぎっしりと白マスク浮かぶ今年の第九演奏（塚本恭子）》高野公彦選、《コロナ禍を韓国ドラマに填《は》まりおり「ハン・ジミン」という女優が好きで（寺下吉則）》永田和宏選、《不時着のオスプレイ囲む園児等は米兵を相手に屈託もなき（庄司天明）》馬場あき子選。

「朝日俳壇」《九人に一人うえてるお正月（かとうゆみ）》長谷川櫂選。

〈2月7日〉 コロナ罹患者激増!!　京都も蔓延防止措置の対象地域に。通行人激減！　観光バス0台。晴れの空です。8枚のカイロをはりつけました。今日は、7日の「無言宣伝」です。8人が入れ替り立ち替りで、7時45分から9時までです。僕は〃壊憲×〃と書いたマスクをつけ、〃殺すな殺されるな〃と書いたプラスターを胸に、〃9条を守ろう！〃と書いたノボリを持って参加しました。なぞなぞのミニレク。声掛け1人。

6日「朝日歌壇」《核戦争回避を言えり核兵器廃棄

をしない五カ国寄りて（篠原俊則）》永田和宏選、《被爆の惨知る国なれど核の傘必要といいて署名せぬ国（大竹幾久子）》高野公彦選。

「朝日俳壇」《学徒動員知らぬ集まり成人式（釋蜩硯）》大串章選。

〈2月14日〉コロナ罹患者激増!!　京都も蔓延防止措置の対象地域に。通行人激減！学生0人、観光バス0台。晴れの空です。8枚のカイロをはりつけました。今日は、14日の「無言宣伝」です。11人が入れ替り立ち替りで、7時45分から9時までです。僕は〝壊憲×〟と書いたマスクをつけ、〝殺すな殺されるな〟と書いたプラスターを胸に、〝原発再稼働するな！〟と書いたノボリを持って参加しました。なぞなぞのミニレク。声掛け1人、会釈何人か。

京都府内の選挙区から出馬した自民党国会議員が総額1億円を超える選挙買収を行っていたことが明らかになりました。内部文書の一つに京都府連の「引継書」がありますが、2014年に京都府連の事務局長が交代する際に作成されたという「選挙対策」の項目にあります。スキャンダルの全容解明を!!

〈2月28日〉ロシアのウクライナ侵略反対!!!　コロナ罹患者激増!!　京都も蔓延防止措置の延長。通行人激減！　学生0人、観光バス0台。晴れの空です。8枚のカイロをはりつけました。今日は、28日の「無言宣伝」です。11人とゴリちゃんが入れ替り立ち替りで、7時45分から9時までです。僕は〝壊憲×〟と書いたマスクをつけ、〝ウクライナ侵略戦争×〟と書いたプラスターを胸に、〝！〟と書いたノボリを持って参加しました。声掛け4人、会釈何人か。

27日「朝日歌壇」《褒めるのも叱るのもマスク越しこのまま卒業していくのか（菊川香保里）》佐佐木幸綱選、《「戦力なき軍隊」なりしがいつの間に敵基地攻撃能力をいふ（石井徹）》高野公彦選。

「朝日俳壇」《今はもうマスクの取れぬ顔となり（吉田晃啓）》長谷川櫂選。

「京都市子ども若者はぐくみ局長、受託収賄疑いで逮捕」の報道は、多くの市民、保育・学童関係者に大きな衝撃を与えました。「コロナ禍で市民の暮らしが大変な状況の中で、なんということを」「市長の肝いりの部局、局長だったのに」など、驚きと憤りの声があがっています。なぜ、こうした事件が起きたのか、徹底的な真相と原因を明らかにしなければなりません。すべての事実を明らかにする責任を京都市長は負っています。

「暴力」でなく「世論」が決める

〈3月7日〉 ロシアのウクライナ侵略反対!!! 核施設に攻撃するな!!! コロナ罹患者激増!! 京都も蔓延防止措置の延長。通行人激減! 学生0人。曇りの空です。8枚のカイロをはりつけました。今日は、7日の「無言宣伝」です。11人とゴリちゃん+ミッキーちゃん+ミニーちゃん+白うさぎのしろっきーちゃんらが入れ替り立ち替りで、7時45分から9時までです。僕は〝壊憲×〟と書いたマスクをつけ、ウクライナ国旗に〝NO!! WAR〟と書いたプラスターを胸に、〝改憲NO!〟と書いたノボリを横に参加しました。ロシアのウクライナ侵略反対・核施設に攻撃するな、21日は、正午から1時まで「無言、ではいられない」のミニレク。凝視する人1人、声掛け3人、会釈何人も!!

6日「朝日歌壇」《復縁をせまる男にしか見えぬウクライナめぐりプーチンの顔（四方護）》永田和宏選。「朝日俳壇」《コロナ禍とウクライナ危機春寒し（福沢義男）》大串章選。

ロシアの大統領であるプーチンの掛け声もあって、ロシアの軍が、ウクライナを侵略しています。そしてそれは、核施設にも及んでいます。「圧倒的な軍事力」がウクライナを踏みにじっています。「暴力」でなく、「世論」がすべてを決めます。

〈3月21日〉 ロシアのウクライナ侵略反対!!! 核施設を攻撃するな!!! コロナ罹患者激増!! 通行人激減! 学生0人。快晴の空です。5枚のカイロをはりつけました。今日は、21日の「無言、ではいられない」です。22人とゴリちゃんらが入れ替り立ち替りで、正午から1時までです。僕は〃壊憲×〃と書いたマスクをつけ、ウクライナ国旗に〃核兵器使うな〃と書いたプラスターを胸に、〃九条を守ろう！〃と書いたノボリを横に参加しました。医事課ミュージシャン3人が奏で、政治家や市民が語りました。話しかける人1人、カンパする人何人も、会釈何人も!!

20日「朝日歌壇」《「侵攻」や「開戦」の字が急速に幅を利かせて紙面蒼ざむ（十亀弘史）》佐佐木幸綱選、《コサックの故郷なりしウクライナ「隊長ブーリバ」息つめ読みき（四方護）》永田和宏選。

「朝日俳壇」《ミサイルの空を白鳥帰りけり（加藤宙）》大串章選。

核兵器ちらつかせるプーチンに抗議！

〈3月28日〉 ロシアのウクライナ侵略反対!!! 核施設を攻撃するな!!! コロナ罹患者激増!! 通行人激減！ 快晴で風が強い朝です。5枚のカイロをはりつけました。今日は、28日の「無言、ではいられない」です。15人とチコちゃんらが入れ替り立ち替りで、7時45分から9時までです。僕は〃壊憲×〃と書いたマスクをつけ、ウクライナ国旗に〃ＳＴＯＰ ＷＡＲ〃と書いたプラスターを胸に、〃九条を守ろう！〃と書いたノボリを横に参加しました。話しかける人2人、カンパ（前回のカンパ総額2万6000円）する人何人か、ハイタッチ1人、会釈何人も!!

27日「朝日歌壇」《若き日にチェーホフに知りし古都キエフ戦場となる春の日かなし（藤井量子）》佐佐木幸綱選、《戦ひにもどる夫と国境に抱きあふ妻の手にネコヤナギ（加藤宙）》永田和宏選。

「朝日俳壇」《侵攻や瞑《しば》し目を閉じ百千鳥（谷澤紀男）》高山れおな・長谷川櫂選。

〈4月4日〉 ロシアのウクライナ侵略反対!!! 核施設を攻撃するな!! コロナ罹患者激増!! 通行人激減！ 快晴の朝です。4枚のカイロをはりつけました。今日は、4日の「無言宣伝」です。15人とゴリちゃん＋ミッキーちゃん＋ミニーちゃん＋白うさぎのしろっきーちゃん＋チコちゃんらが入れ替り立ち替りで、7時45分から9時までです。僕は〝壊憲×〟と書いたマスクをつけ、ウクライナ国旗に〝殺すな殺されるな〟と印刷されたプラスターを胸に、〝九条を守ろう！〟と書いたノボリを横に参加しました。話しかける人2人、カンパする人何人か、ハイタッチ1人、会釈何人も!!　いつもの人の声きこえず。

3日「朝日歌壇」《水平に構えし銃で狙ひ撃つ兵士の心映りてをらず（後藤進）》佐佐木幸綱選、《少年の目から涙がこぼれ落ち「パパをキエフに残してきたんだ」（堀江昌代）》高野公彦選。

「朝日俳壇」《春遠し防空壕《ぼうくうごう》の新生児（石井治）》小林貴子選、《春よ来い旧《ふる》き都の尖塔《せんとう》に（池内真澄）》長谷川櫂選。

〈4月11日〉ロシアのウクライナ侵略反対!!!　核施設を攻撃するな!!!　コロナ罹患者激増!!　通行人激増！　観光バス何台か。快晴の朝です。今日は、11日の「無言宣伝」です。14人とゴリちゃん＋ミッキーちゃん＋ミニーちゃん＋白うさぎのしろっきーちゃん＋チコちゃんらが入れ替り立ち替りで、7時45分から9時までです。僕は〝壊憲×〟と書いたマスクをつけ、〝ウクライナ国旗に〝殺すな〟と書いたプラスターを胸に、〝九条を守ろう！〟と書いたノボリを横に参加しました。選挙結果についてのミニレク、会釈何人も!!

10日「朝日歌壇」《天国の母さんお願い抱いてあげ

て一人で行ったマリウポリの子を（藍原秋子）》佐佐木幸綱選、《寒かろう恐ろしかろう泣きたかろ国境めざす少年一人（瀬口美子）》永田和宏選、《胸を衝く戦禍伝える記事の中チューリップ買う市民の姿（水原由美）》馬場あき子・佐佐木幸綱選。

「朝日俳壇」《雪が降るなんといふキエフの春よ（伊藤三郎）》高山れおな選。

昨日は、京都府知事選と北区府議補選の投開票日でした。

〈4月18日〉ロシアのウクライナ侵略反対!!! 核施設を攻撃するな!!! コロナ罹患者へらず!! 通行人ふえる！ 観光バス何台か。時々晴の暑い朝です。今日は、18日の「無言宣伝」です。15人とゴリちゃん＋ミッキーちゃん＋ミニーちゃん＋白うさぎのしろっきーちゃん＋チコちゃんらが入れ替り立ち替りで、7時45分から9時までです。僕は〝壊憲×〟と書いたマスクをつけ、ウクライナ国旗に〝DON'T KILL〟と書いたプラスターを胸に、〝原発再稼働するな！〟と書いたノボリを横に参加しました。会釈何人も、タッチ1人、立ち止まり読む人何人か!!

17日「朝日歌壇」《「しんこう」と打てば親交と出るスマホAIも侵攻は予測せざりき（矢嶋千尋）》佐佐木幸綱選、《戦争は「始まる」ではなく「始める」であるとつくづく思う如月（篠原俊則）》永田和宏選。

「朝日俳壇」《四月馬鹿みんなイワンのばかとなれ（額田浩文）》高山れおな・長谷川櫂選。

ウクライナ思い、沖縄を思い京都を思う

〈4月25日〉ロシアのウクライナ侵略反対!!! 核施設を攻撃するな!!! コロナ罹患者へらず!! 通行人ふえる！ 観光バス1台。暑い朝です。今日は、25日の「無言宣伝」です。15人とゴリちゃん＋ミッキーちゃん＋ミニーちゃん＋白うさぎのしろっきーちゃん＋チコちゃんらが入れ替り立ち替りで、7時45分から9時までです。僕は〝壊憲×〟と書いたマスクをつけ、ウクライナ国旗に〝基地いらん戦争したく

ねえ〃と書いた沖縄の2紙に掲載した意見広告をプラスターにしたものを胸に、〃辺野古に基地いらん!〃と書いたノボリを横に参加しました。沖縄の2紙への意見広告についてミニレク。会釈何人も、立ち止まり読む人も何人も!

24日「朝日歌壇」《三度目《みたびめ》の過ちとなる瀬戸際に晒されている大戦と核（森浩希）》佐佐木幸綱選、《向日葵と小麦の大地に春近し銃を持つ手に種は蒔けない（加藤宙）》永田和宏・馬場あき子選。

「朝日俳壇」《春泥や遺物のごとき戦車ゆく（高垣わこ）》高山れおな選、《寝たきりの生の安堵や春日和（宗本智之）》大串章選。

28日は70回目の「屈辱の日」。1952年4月28日にサンフランシスコ講和条約が発効した。敗戦後、連合国軍の占領下にあった日本は条約発効で独立を果たしたが、沖縄や奄美は日本から切り離された。沖縄が日本復帰するまで米施政権下にあった27年間、本土から沖縄へ基地が移転。日本国憲法が適用されなかった。

〈5月2日〉 ロシアのウクライナ侵略反対!!! 核施設を攻撃するな!!! コロナ罹患者へらず!! 通行人ふえる! 暑い朝です。飛行機雲、何筋も! 今日は2日の「無言宣伝」です。11人とゴリちゃん+ミッキーちゃん+ミニーちゃん+白うさぎのしろっきーちゃん+チコちゃんらが入れ替り立ち替りで、7時45分から9時までです。僕は〃壊憲×〃と書いたマスクをつけ、ウクライナ国旗に〃侵略×〃と書いたものを胸に、〃九条を守ろう！〃のノボリを横に参加しました。会釈何十人も、立ち止まり読む人多し！

1日「朝日歌壇」《日本にも海越え派兵した歴史「侵攻」という言葉の重み（柴崎茂）》佐佐木幸綱選、《戦争をしない生きもの春の野に雲雀と燕がこぼすさえずり（篠原俊則）》馬場あき子選。

「朝日俳壇」《芽吹きたる樹も焼かれおりウクライナ（水野啓子）》小林貴子選。

〈5月9日〉 ロシアのウクライナ侵略反対!!!　核施設を攻撃するな!!!　コロナ罹患者少しだけ減る。通行人ふえる！　雲も多い暑くない朝です。今日は9日の「無言宣伝」です。13人とゴリちゃん＋ミッキーちゃん＋ミニーちゃん＋白うさぎのしろっきーちゃん＋チコちゃんらが入れ替り立ち替りで、7時45分から9時までです。僕は〃壊憲×〃と書いたマスクをつけ、ウクライナ国旗に〃戦争×〃と書いたものを胸に、〃辺野古に基地はいらん！〃のノボリを横に参加しました。会釈何人も、立ち止まり読む人何人か、声掛け2人！

8日「朝日歌壇」《同胞《はらから》を弔う人を狙ひしや遺体に地雷仕掛けし悪魔（佐藤幹夫）》佐佐木幸綱選、《焼け焦げた軍用車両を縫い歩む老女の髪に四月の氷雨（芝田義勝）》馬場あき子選、《戦争は人を殺すと徴兵を拒否したモハメド・アリを思う日（瀧上裕幸）》馬場あき子・佐佐木幸綱選。

「朝日俳壇」《戦争は憎むべし花は愛すべし（小熊なが子）》長谷川櫂選。

〈5月16日〉 ロシアのウクライナ侵略反対!!!　核施設を攻撃するな!!!　コロナ罹患者少しだけ減る。通行人ふえる！　雲も多い、暑くない朝です。今日は16日の「無言宣伝」です。14人とゴリちゃん＋ミッキーちゃん＋ミニーちゃん＋白うさぎのしろっきーちゃん＋チコちゃんらが入れ替り立ち替りで、7時45分から9時までです。僕は〃壊憲×〃と書いたマスクをつけ、ウクライナ国旗に〃基地いらん戦争したくねえ〃と書いた沖縄の2紙に掲載した意見広告をプラスターにしたものを胸に、〃辺野古に基地はいらん！〃のノボリを横に参加しました。会釈何人も、立ち止まり読む人何人か、声掛け2人！ 自転車に乗ったまま「おはようさんです！」と走り去る人も！観光バスからの何人もの手振りもうれしい!!

15日「朝日歌壇」《モザイクは市民の遺体　後ろ手に縛られている手だけが見える（川上美須紀）》佐佐木幸綱・高野公彦選。

「朝日俳壇」《菜の花を青い花瓶に祈り込め（篠原めぐみ）》大串章選。

観光バスからの手振りに応える

〈5月23日〉日米首脳会談の日、さてはて何が話しあわれるのやら？ ロシアのウクライナ侵略反対!!! 核施設を攻撃するな!!! コロナ罹患者少しだけ減る。通行人ふえる！ 快晴、暑いぐらいの朝です。今日は23日の「無言宣伝」です。14人とゴリちゃん＋チコちゃんらが入れ替り立ち替りで、7時45分から9時までです。僕は〃壊憲×〃と書いたマスクをつけ、ウクライナ国旗に〃NO!! WAR〃とのプラスターを胸に、〃改憲NO！〃のノボリを横に参加しました。会釈何人も！10台近くの観光バスからの何人もの手振りがうれしい!!

22日「朝日歌壇」《核のあるこの世に生まれ核のあるままのこの世を去らねばならぬ（篠原俊則）》永田和宏選。

「朝日俳壇」《天空を駱駝《らくだ》の列か黄砂降る（居倉健二）》長谷川櫂・大串章選、《句と人を愛す憲法記念の日（榧野実）》小林貴子選。

〈**5月30日**〉ロシアのウクライナ侵略反対!!! 核施設を攻撃するな!!! コロナ罹患者少しだけ減る。通行人ふえる!・観光バスが何台も、お互い手を振る!! 快晴、暑いぐらいの朝です。今日は30日の「無言宣伝」です。鹿児島からの参加者2人を含め17人とゴリちゃん+ミッキーちゃん+ミニーちゃん+白うさぎのしろっきーちゃん+チコちゃんらが入れ替り立ち替りで、7時45分から9時までです。僕は〝壊憲×〟と書いたマスクをつけ、ウクライナ国旗に〝侵略ヤメロ!!〟とのプラスターを胸に、

〝改憲NO!〟のノボリを横に参加しました。会釈何人も! 10台近くの観光バスからの何人もの手振りがうれしい!! 中学生からのカンパもうれしい!! へ

29日「朝日歌壇」《軍隊は軍隊をしか守らない交戦国のどちら側でも(十亀弘史)》永田和宏・佐佐木幸綱選。

「朝日俳壇」《戦争が春も命も奪ひけり(寺嶋三郎)》長谷川櫂選。

〈**6月6日**〉最後まで冷たい雨、体が冷えた。ロシアのウクライナ侵略反対!!! 核施設を攻撃するな!!! コロナ罹患者少しだけ減る。通行人ふえる! 観光バスが何台も、お互い手を振る!! 今日は6日の「無言宣伝」です。〝STOP WAR〟とのプラスターを胸に、〝辺野古に基地はいらない!〟のノボリを横に参加しました。会釈何人も! 観光バスからの手振りがうれしい!! 声掛け3人。

5日「朝日歌壇」《戦争は話題にならず静かなる事務所に響くコピー機の音(月城龍二)》永田和宏・佐

佐木幸綱選、《その人は瓦礫《がれき》の中のピアノを撫でショパンを弾いて母国を去れり（八巻陽子）》馬場あき子選。

「朝日俳壇」《梯梧《でいご》真っ赤復帰の前も後も（島田章平）》小林貴子選。

人出が増え、手振り、会話、カンパも

〈6月20日〉 斜め前の信用金庫がオープンして1週間、飛行機雲いくつか、暑いぐらいの空。ロシアのウクライナ侵略反対!!! 核施設を攻撃するな!!! コロナ罹患者減る。通行人ふえる! 観光バスが何台も、お互い手を振る!! 今日は20日の「無言宣伝」です。16人とゴリちゃん+ミッキーちゃん+ミニーちゃん+白うさぎのしろっきーちゃん+チコちゃんらが入れ替わり立ち替わりで、7時45分から9時までです。ウクライナ国旗を背景に〃基地いらん戦争したくね〃と書いたプラスターを胸に、〃辺野古に基地はいらん!〃のノボリを横に参加しました。会釈何人も!観光バスからの手振りがうれしい!! カンパする人も!

19日「朝日歌壇」《トルストイ、ドストエフスキー、チャイコフスキー、マトリョーシカあり我が家のロシア（野上伊都子）》高野公彦選、《若者の柩にすがる母親よ麦の畑に十字架並ぶ（川西敦子）》馬場あき子・佐佐木幸綱選。

「朝日俳壇」《夏草のキル・キル・キルと叫びをる（関根道豊）》高山れおな選。

22日、参院選公示、投開票日は7月10日。いよいよ参院選!!

〈6月27日〉 今年初ての半ズボン、涼しいな!! しかし猛暑、暑い!! 飛行機雲いく筋か!! ロシアのウクライナ侵略反対!! 核施設を攻撃するな!!! コロナ罹患者減る。通行人ふえる! 観光バスが何台も、お互い手を振る!! 今日は27日の「無言宣伝」です。16人とゴリちゃん+ミッキーちゃん+ミニーちゃん+白うさぎのしろっきーちゃん+チコちゃん

らが入れ替り立ち替りで、7時45分から9時までです。ウクライナ国旗を背景に〃NO!! WAR〃と書いたプラスターを胸に、〃消費税を5%にもどせ!〃のノボリを横に参加しました。会釈何人も!話しかける人、観光バスからの手振りがうれしい!! グータッチ1人、カンパする人も!

26日「朝日歌壇」《担架に臥すウクライナ兵カメラには顔《かんばせ》向けて生還伝ふ（山野順一）》佐佐木幸綱選。「朝日俳壇」《真つ先に子供から死ぬこどもの日（島田章平）》長谷川櫂選

〈7月4日〉半ズボン、涼しいな!! 雨、あめ、弱い雨が最初から最後まで。ロシアのウクライナ侵略反対!!! 核施設を攻撃するな!!! コロナ罹患者増え気味。通行人ふえる!・観光バス0台! 今日は4日の「無言宣伝」です。網野町から来られた親子を含め13人とゴリちゃん+ミッキーちゃん+ミニーちゃん+白うさぎのしろっきーちゃん+チコちゃんらが入れ替り立ち替りで、7時45分から9時までです。〃ロシアの侵略×〃と書いたプラスターを胸に、〃九条を守ろう!〃のノボリを横に参加しました。会釈何人も!話しかける人!! グータッチ1人。

3日「朝日歌壇」《戦場に兵士ふたりは結婚し明日はそれぞれ前線へ行く（藤山増昭）》佐佐木幸綱、永田和宏選評「喜びも悲しみも戦場にしかない民の実態を詠《うた》う」、《菜園を始めてからは目と鼻の先に地球が息をしている（柳田孝裕）》高野公彦・永田和宏選、《若者のごとく果敢に臆病にマスクを脱いで往く大通り（佐藤牧子）》馬場あき子・佐佐木幸綱選。

「朝日俳壇」《夏草や荒れ放題に麦畑（佐藤茂）》長谷川櫂選評「ウクライナの穀倉地帯の惨状。これもまた『兵《つわもの》共が夢の跡』」。

7月10日（日）は、参院選の投開票日、間違いのない選択が僕の心情。**（絶筆）**

「無言宣伝」参加者からの声

歌の力

阿部ひろ江

吉郎さんの行動から広がった、毎月曜日の皆さんの、たゆみない無言アピール、頭が下がります。いつも通勤通学する人たちの心に届いていることでしょう。

わたしは月曜日が祝日の昼間に「無言ではいられない」ということで、歌いに行かせて頂いています。歌う時は道行く一人一人の人に語りかけるように歌います。孫ができた時、作った歌をよく歌うので、その歌詞の一部を書かせて頂きます。

～世界の片隅で　泣いている子　世界の片隅で　傷ついて怯えている子
全ての子どもに　投げかけておくれ　天上の光を　投げかけておくれ
あなたの揺り籠で　いられるように　ただ願う
愚かな望みで　汚さないように　いっときの楽しみで　壊されないように～

今や「世界の片隅で　泣いている子」ではなく「日本の片隅で　泣いている子」になりました。全ての子どもが幸せになりますように。

井上吉郎さんを偲んで

阿部　理平

井上さんからの突然の訃報を知って、とるもとりあえず偲ぶ会に出席するため、京都行きの新幹線に飛び乗ってから、早いものでもう1年以上が過ぎてしまいました。

井上さんとの出会いは、大学1年の時、右翼と共産党との違いもよく分からない福島の田舎から出てきた私を近所だった彼の実家に誘ってくれて、お母様の美味しい夕食をごちそうしてもらったことです。

当時、日韓条約の批准問題や激しくなってきたベトナム戦争など大学内でも激しい議論が行われていました。それらに対する見方や学生運動のあり方など私にわかりやすく解説をしてくれました。彼の部屋には、床から天井までの本棚があり、そこにびっしり岩波新書がありました。帰る時に、「僕は全部読んだので、気に入った本があれば持っていっていいよ」と言われ、何冊かもらってきた思い出があります。とにかく読書家で、興味や関心のあることについて徹底的に追求する人でした。

また、当時学生自治会が民主化され、学園祭「11月祭」が再開され、井上さんが実行委員長になり、「新しい歴史は、僕らの手で」という新鮮なテーマで様々な取り組みをしていたことも思い出されます。その当時から、彼の企画力やアイデアは泉のごとく次から次へと湧き出てくることに感心することしきりでした。

大学紛争の激動も例外なく学内を震撼させていました。学生大会で封鎖の是非、大学民主化の方向性など全共闘との論争（当時はまだ民主的議論の風習が残っていました）の場で、井上さんは論点を明らかにし、圧倒的な演説（身ぶり、手ぶりも入れて）で、大会の雰囲気を一変させました。

また、30年ほど前に仙台で開かれた母親大会の会場で久しぶりに再会した時、彼の提案で初めて「父親分科会」が設置され、父親たちの活発な討論が行われたことも鮮明に思いだされます。

その場の状況、雰囲気から様々な人達の気持ちや思いを引き出すことを常に考え、そのことに果敢に実行に移すことができる人でした。

井上さんが、北野白梅町駅で無言宣伝を始めた話を耳にした時「さすが井上さんだな、すごいな」と感心しましたが、同時に私は彼のそれまでの生き方を考えると必然的にとる道なのだろうと受け止めました。彼が自分の困難な障害の状況の中で自分にできることを熟慮し「微力かもしれないけど無力ではない」との思いで、一人で無言宣伝に立ったことが多くの人に立ち上がる勇気を与えてくれました。現にその後も無言宣伝は引き継がれ、新たな広がりを作っていると聞いています。

井上さんの考え抜かれた博識に裏打ちされた不屈の精神と行動力を改めて思い起こし、私も福島の地で「微力かもしれないけど無力ではない」との思いで、障がい者運動にがんばっていきたいと気持ちを新たにしています。

〈福島県NPO法人ボネール〈障がい者支援施設〉理事長〉

人を憩う梢

池田由美子

①京都市長選に出られた井上吉郎さんは、いろんな名刺を次々作って、気さくに語りかけ、せっせと手渡しされていた。お人柄に触れたのは合唱組曲「悪魔の飽食」練習会場。音楽に対して誠実に向き合う真面目

さを感じた。市長選真っ最中、この大曲に取り組まれた。
②次にお見かけしたのは、映画『浮島丸サコン（事故）エイジアン・ブルー』の上映館入り口。私が仕事で人気抜群の研修講演者の、池添素先生と一緒に呼び込み。私は誘われるままに観て、電気に打たれたように、殉難碑を求めて舞鶴へ走った。
③もう一つ走った思い出はマルセ太郎の独り芝居『生きる』の会場入り口。やっぱり呼び込み。公演後の打ち上げに黒いタートルネックのマルセさんが到着。不躾な質問や要請をかわしながら、難病患者の質問には、優しく肯いて。私はまたまた走り、『まるごと一冊マルセ太郎』を入手。DVD『生きる』を観た。

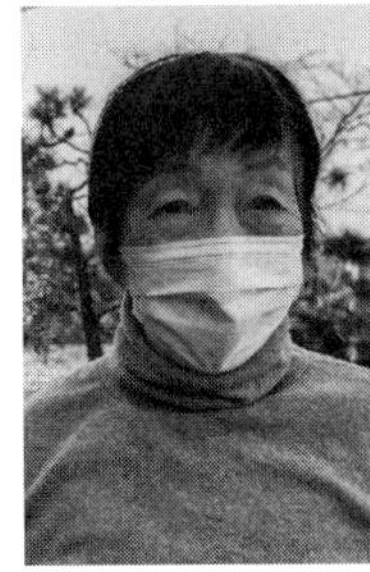

④いつの日も、平和を守る不断の努力（日本国憲法が求めていること）の諸活動の中、井上吉郎さんと池添素さんの、お人の話をうかがわれる姿勢は、人を憩う梢を育む。

無言宣伝で学んだもの

井坂　博文

井上吉郎さんは、1993年8月京都市長選挙以降3回の市長選挙に立候補し、選挙後に自ら「市長浪人」と称して、市会本会議傍聴運動を呼びかけ大挙して本会議場に来られ、その先頭前列に座り本会議質問者にプレッシャーをかけ、私も緊張しながら質問したことをよく覚えている。そして、私の市会議員選挙の際に、推薦の言葉をいただきに訪問すると「若武者らしく、奇をてらわずに、まっすぐに市政を追求するように」

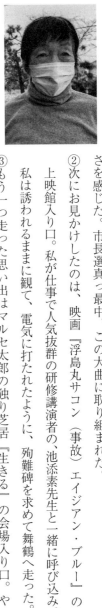

と激励をいただき、その後、私の「座右の銘」にしてきた。まさに私の議員活動の「育ての親」である。

無言宣伝を始めた吉郎さんのメッセージは、10年経っても今日《こんにち》の運動理論にぴったりだ。「微力でも無力ではない」「できるところから始める」「無言は沈黙ではなく、対話と発信である」「定時、定点でこそ参加しやすい」「誰でも仲間。来るもの拒まず、去るもの追わず」。市民同士の共同を進める基本だと思う。この運動理論は、吉郎さんの原則的かつ柔軟な発想が生み出したものだ。

この「無言宣伝」の理念をさらに発展させていくことこそ吉郎さんが願っていることだろう。そのバトンを引き継いでがんばっていきたい。

吉郎さんからつながり、広がる無言宣伝

井坂　洋子

車椅子生活になり、話すことが不自由になり、それでもアピールしようと1人から始められた吉郎さんの無言宣伝。1人から2人3人、そして10人を超えて広がった無言宣伝。祝日の月曜はいろんな方の歌やアピールの無言ではいられない宣伝。

吉郎さんが亡くなって、終わるのでなく、つながりが広がっていく無言宣伝。

無言宣伝が始まって10年、いろんなことがありました。平和が脅かされる、暮らしが脅かされる、そんな

時代です。でも、希望があります。無言宣伝の中で「白梅町の駅舎キレイにしてほしいなぁ」と署名を集め、キレイな駅舎ができたり、「道路が陥没して危ないね」と京都市に電話して改修してもらったり。声をあげれば変わっていくということを知りました。私たちは微力だけれど無力じゃない。吉郎さんが始められた無言宣伝。さらにつながり、広げていきたいです。

豊かに生きることが、すべてに通じる

出渕とき子

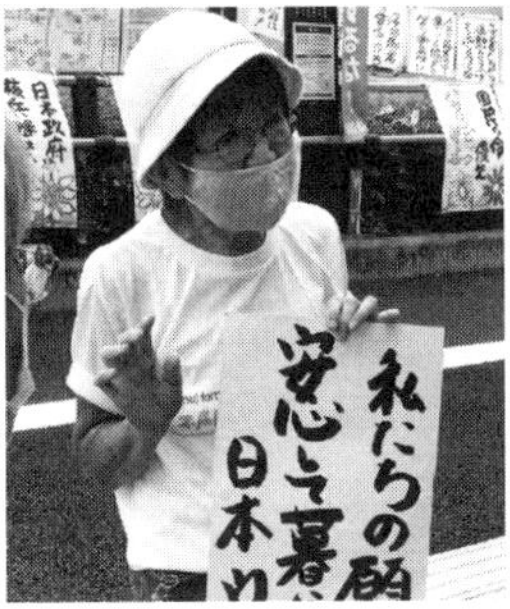

あれは、初夏のある夕方。吉郎さんのお家に招かれ、何人かでお邪魔をして夕飯をご馳走になりました。そこで私は初めて、軽いカルチャーショックを受けました。食卓に出されたのは塗りのおしゃれな半月型の点心盆に、吉郎さんみずからの手作りの品が幾つか、それも体裁良く盛られていました。冷たい梅酒も、吉郎さんが作ったものでした。

子どもの頃、学校の給食費もまともに持って行けず、家の真ん前がお風呂屋（銭湯）さんなのに、大人は入浴料がいるから、せめて我が子（無料）だけでもと他人に託したり、大晦日に来た借金取りと親のやりとりを布団の中で聞いたり……。そんな家庭で育った私には、吉郎さんが住むような普通のお宅で、一見〝贅沢〟にも見える、そんなおもてなしを受けたのは初体験でした。

だけどそこで教えられたのは、もてなしが単なる「器や料理の中身ではない」。限られた条件の中でいかに人生を「豊かに生きる」とは、どんなことかに気づかされたことでした。

「豊かに生きる」―それは、どんな条件の下でも、できる限り知恵を出し、諦めず工夫をすれば、新たに生み出せるもの、発見があり、勇気が出る。生きることはその連続なのだから、決して結果を恐れることはない―それは吉郎さんの生涯に貫かれていました。

どれほど身体が不自由であっても、決めたことは精いっぱい実行する―吉郎さんがたったひとりではじめた「無言宣伝」は、まさしく吉郎さんの生き方を示したもので、私たちに残された「無言」の大切な「遺言」です。これからも、みんなでしっかり「無言宣伝」を続けます。

不条理に対する失望と、それを伝える希望

伊藤　京平

無言にはどのような意味があるのだろうか。かつて僕が吉郎さんの支援者だった夏のある日、われわれはとある大学の資料館に向かっていた。その頃はかの感染症が流行していた時期で、資料館の入口にはセンサー式の温度計が設置してあり、37・0度以上の者は入室を許可しない、との文言が添えられていた。まず吉郎さんが体温を測り、36度台であった。なんということはない、形だけのものだ、とそのときは考えていた。しかし次に僕が体温を測ると、49・0度であった。見間違えだろうか。再び体温を測ると52・3度と表示された。何度か測り直すも、あまり変わらず。猛暑の中歩いてきたのでセンサーが衣類の熱に反応したのかも

しれない。すぐに受付の方が現れ、「これは入室できませんね」と伝えられた。僕は唖然とし、吉郎さんから「そんなに体温があったら死んでますよ」と助け舟を出していただいたが、「決まりですので」とのことで、結局僕のみ資料館に入ることができなかった。

支援に関してはそこまで問題なかったのが不幸中の幸いだ。帰路に着くと、普段は饒舌な吉郎さんもその日は口数が少なかった。無言とは社会の不条理に対する失望なのだ。しかし表に立ってそのことを伝えることは翻って希望であるとも言えるだろう。僕はプラカードを書くことでしか無言宣伝に貢献できなかったが、依頼された言葉の数々はどれも強烈なものだった。それらの言葉は、音声として発されることがなくとも、社会にとっての希望だったと信じている。

（立命館大学院生、日本自立生活センター、吉郎さんの介助ボランティア）

戦争反対！　チコちゃんママとして

王野　宮子

カレー名人の夫は1989年9月6日から2013年1月31日まで、大将軍で23年と6ヶ月間営業したカレーショップ『オレンジワーク』を閉店しました。

お客さんは、井上吉郎さんをはじめ、地域の方、学生さん、民主団体の方々など本当にたくさんの方に愛されたオレンジワークは私たち家族の大切な楽しい『居場所』でした。

閉店後、アルバイト生活に入った夫に、井上吉郎さんが白梅町で特定秘密保護法に反対して1人で、『無言宣伝』をされてるから月曜日の朝、参加したら！と呼びかけました。

私は、定年退職後2019年から、参加できる時に朝ドラを観てから、自転車で白梅町へ。来るもの拒まず、去るもの追わずの緩やかな無言宣伝の精神が好きです。体調の良い時、参加するようにしています。

ゴリちゃん、ミニーちゃんがいるなら、チコちゃんがいても良いかと「ボォーっと生きてるんじゃないよ！」とゴリパパが書いてくれた巻きすを持って参加しています。

自転車の前カゴにチコちゃんを乗せていると子ども達がチコちゃんやーとこえをかけてくれます。チコちゃんと白梅町で「戦争反対！平和が一番！」って訴えて来たんやでと答えるようにしています。「ボォーっと生きたらあかん、しっかり思ってること言わないと可愛い、未来に生きる子ども達が大切にされる世界にするため」戦争のない平和な世の中を子ども達に手渡すのが私たち大人の仕事やと思うからと話します。

テレビから流れてくるウクライナ、ガザの悲惨な現状をコーヒーを飲みながら見ていて良いのか!!

いつの間にかその映像に慣れてしまって良いのか！　井上吉郎さんが生きていたらなんて言うだろう、無言宣伝に参加し、これからも、吉郎さんの生きたかっただろう、1日1日を平和な社会の実現のために、ダメなものはダメと諦めないで声を上げたいと思います。

チコちゃんママ（カレー名人の妻）

無言宣伝これからも参加します

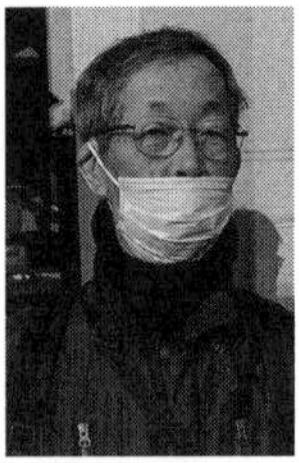

王野　茂美

月曜日の朝、北野白梅町嵐電前に、井上吉郎さんの人となりを知る人たちが集まります。私は井上吉郎さんの活動は、生きとし生けるものへの心だと思っています。

フェイスブックがきっかけ

おかねともこ

10年ほど前にフェイスブックを始めた時の最初の5人ほどのお友達の一人に吉郎さんがおられました。私がかつての市長候補者さんとして一方的に知ってるだけで、吉郎さんが車椅子の人になっておられるのもその時に知りました。その縁で「殺すな殺されるな」のNYタイムズ紙の意見広告や相模原事件の企画などに誘ってもらいました。

月曜朝の無言宣伝はなかなか参加できないのですが、休日の「黙ってはいられない」宣伝には何度かお邪魔してマイクを持たせてもらったこともあります。そこで出会った方々との貴重なご縁もあって、参加できなくても無言宣伝の仲間の端っこに私も入れてもらってるような気がしています。

井上さんがいなくて寂しい。でもみんなが井上さんのこと忘れることはなく、無言宣伝の場には井上さんがおられると感じます。始めるということの素晴らしさ、そして続けるということの偉大さ。やはり井上吉郎さんは大きな人だと思います。

無言宣伝について

小国　祥子

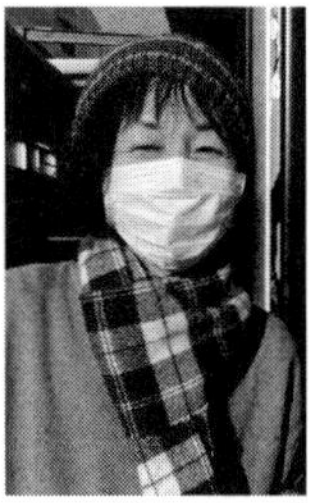

私が無言宣伝に参加させていただくようになったのは、1年半くらい前からです。井上吉郎さんが始められて10年間、ともに歩んでこられたみなさんに頭が下がる思いです。様々な方たちが、少しでも生きやすい世の中にしたいという思いで参加されているのだと思います。

私にとって無言宣伝という場所はとても居心地が良いところです。参加できる日、時間にゆる〜く参加できる雰囲気がうれしいです。でも、それを支えてくださっている中心スタッフのご苦労があることは知っていますが……。

今、平和が脅かされて自由にものを言うことが難しいような雰囲気が溢れています。強く大きな声も大切だけれど、「無言」でアピールし続けることがこれからますます大切になってくるように思います。大切にしていきたいアクションです。

継続は力也。無言でも、心に伝わる無言宣伝

奥野　義雄

都落ちして居た私が、上京区に居住して、年金者組合に入った。其処で無言宣伝を知った。時々参加をさ

せて頂いています。これだけ長い間、続けてこられた努力、言い尽くせないです。故井上吉郎さん初め、スタッフの皆さんご苦労様でした。

「言いたい事、いっぱいある」のに無言。でもこの活動は大切だと思います。音楽、プラカード、プラスター横断幕等々も、人々の心に写ります。愉快な音楽とぬいぐるみも、心を温めます。共に力合わせて、少しでも良い世の中にしましょう。暮らし良い平和な町、日本を、子供達孫達に繋げたいですね。一人より、二人、二人より三人。もっともっと、広げましょう。続けましょう、此の取り組みを。

（年金者組合北上支部）

吉郎さんとご一緒できてよかった！

黒川美栄子

吉郎さんが無言宣伝を始められた頃は、在職中で、毎週月曜日の朝、自転車で前を通りあいさつ。笑顔と絵手紙風の横断幕、味のある絵と文字での訴えに後押しされ職場に向かう。

毎月の集金でご自宅へ伺い、時々の気になる状況をお話いただき、視野が広がる。いつも新聞代のおつりは不要と言われ、カンパに。入口に置いてある手作りクッキー「ricahi」を購入するのも楽しみで、満たされるひと時に。

一度だけでしたが、憲法の学習会にも寄せていただき、〝憲法を暮らしの中にいかそう〟深く刻む。

退職後『無言宣伝』にも参加。人間味あふれるみなさんにお出会い。祝日の月曜日は〝無言ではいられない宣伝〟。歌あり平和と時々の訴え。ますます冴える、絵と文字の横断幕をバックに。毎朝、お二人がご自宅周りを支え合って歩かれていた姿、やさしくあたたかい。

「生きるためには、空気や水など当然のことの他に、『読書』『戦争への怒り』『音楽』『地域を知ること』などが必要です。僕にはリハビリなども欠かせません。過去に想いを馳せてこそ、現在を語ることができます。今を見つめることで、明日への思いを馳せられるでしょう。明日の像を構想することで、今が語れます」〜最後にいただいた冊子「人生の伴走者」のはじめにから。

〝『無言宣伝』通じてたくさんの事を学ばせてもらっています！ 吉郎さん、ありがとうございます‼〟

わが良き友、「吉ちゃん」を悼む

こくた恵二

井上吉郎さんの提唱による「無言」宣伝、私は常の参加者とはなりえなかったが、提唱者の遺志を継いで引き続きアピールを続けていただきたい。

吉ちゃんとは、彼が京都大学、私は立命館大学でともに学生自治会運動に没頭していた以来の友人で、寝食を共にして友情をはぐくんできた。後に、彼は京都市長選挙の、私は衆議院の候補者として「お神酒徳利」のように闘ってきた。

思い出は、語り尽くせぬほどあるが、一つだけ披露する。狂言師、後の人間国宝となる茂山千作さんの「四世襲名」お祝いの会が、茂山千之丞（先代2世）さん中心に開催された。千作さんは「お祝いとは実に嬉しいが、私を出汁にして、市長候補と衆院候補を励ます集いが趣旨ではないか」と挨拶し、皆を笑わせた。千作さんからの引き出物が、老舗「かぎや政秋」の「ときわ木」で、二人で「美味しかったな」と言い合ったことを今でも覚えている。

吉ちゃんは、持ち場持ち場で次々と新しい境地を開拓してきた。そこには、創造性溢れる企画力、そして自ら実行する突破力、皆をともに歩ませる牽引力があった。活動の見事さはみなが語りついでくれるだろう。底流に、人に対する温かい思いやりと平和への願いがあった。この時期に彼を失ったのは本当に残念だ。

2022年8月21日、彼の遺体がご自宅に帰ったとき、お連れ合いの素ちゃんに招かれ、最初にお別れの言葉を言えたのがせめてもの慰めかもしれない。

亡き良き友「吉ちゃん」に学び、前をむいて歩む。

（衆議院議員・日本共産党国会対策委員長）

一人でも始め、人を巻き込む　吉郎さんらしい市民運動

小林　和弘

僕が無言宣伝に参加したのは、恥ずかしながら1年前から。吉郎さんとは、アマンドラ京都公演、映画「エイジアンブルー」の製作、定住外国人の地方参政権を実現する会、3回の市長選挙などをともにし、僕にとって市民運動の同志以上、人生の恩師とも言うべき人です。

その後、僕はタコス屋を開業し、彼は病に倒れ、少し疎遠になっていました。彼が車椅子で一人で無言宣伝を始めたことを知り、「一人でも始め、多くの人たちを巻き込み、やがて大きな運動にする」という彼らしいスタイルに感服しました。

最近、沖縄石垣島に通うようになり、美しい平和な島が急速に軍事要塞化されていくことに強い怒りを感じ、自分も何か行動しなければと白梅町に向かいました。吉郎さんはもういませんでしたが、自主的に集まってきた新旧の友人たちに出会うことができ、彼の思いが生きていることを実感しています。

嵐電帷子ノ辻駅前、月曜のアサ

斉藤　治

我が輩はカエルである。名前はまだ無い。2023年の8月4日から、月曜日のアサ7時半から8時、雨天以外は嵐電帷子ノ辻駅前に「けんぽうカエルな」のゼッケンをつけて、政治への要求を手書きしたステッカーを持った相方の横に坐っている。遅まきながら本書「無言宣伝」の影響ではじめたものらしい。9条の会など地域で宣伝活動が行われるときは同行する。

通勤、通学、コンビニ客など、徒歩や自転車で通るのは200人程、大抵は素通りで、わざわざ見ないようにして通り過ぎる人も結構いるのが面白い。習慣なのかもしれないが「おはようございます」の声かけに会釈だけでも返って来ると嬉しい。ごくごくまれに「可愛いね」と寄ってきてくれる人がある。

「意味があるのか」と問われるかもしれないが、「微力であっても無力ではない」と信じている。そして「継続は力」だと。

（編集者）

願いと出会いから生まれる動き

鈴木　君代

人は死んで終わりではなく、そこから遇える世界があります。あらためて願いの世界に生きる人との出遇いが私に教えてくださいます。

毎週月曜日の朝、北野白梅町に行くと必ず遇える人たちがおられます。夏の暑い日も冬の寒い日も雨の日も。10年前に井上吉郎さんが、戦争に向かっていくこの国、原発を再稼働するこの国、この国に生きる民のいのちと暮らしを脅かす国の在り方に対して、たったひとりで「無言宣伝」というかたちで訴えをはじめられました。その願いから生まれた動きは、井上さんが亡くなられた後もその声とともに生きる人たちによって続けられています。

10年という歳月は、その人の願いに出遇い感動した人たちが次のいのちを護るために動いておられる時間です。私は感動してその世界に生きたいと願っています。

私の先生は、先の戦争に三回も出征され、最後には南方でたくさんの人が餓死していく姿に遭われ、「戦争は人間が人間でなくなるから決してしてはならない」という言葉を私の身に刻んでくださいました。私は先生が亡くなってから、ただ悲しいだけの時間を過ごしていましたが、先生が願われた世界に私も身を置き動くことで先生の声に再会させてもらうことができました。具体的には、戦争につながるすべてのことに反対すること。

月曜日が祝日の日は、「無言ではいられない」とマイクを使ってこの国を問う声による訴えがあります。私はそこで歌わせてもらうことで、声を聞かせてもらいます。

人間は死んで終わりではなく、そこから出遇うことのできる世界があります。「あなたに遇えてよかった」と、亡き大切な人の声を聴いて、その声とともに非戦平和を生きることです。

（真宗大谷派僧侶・シンガーソングライター）

私の前の憧れの存在

田盛　みさ

私はウクライナ・ロシア戦争開始直後に戦争反対のプラカードを持って立ちました。井上吉郎さん始め皆さんの凛とした自らの訴えにぶれない姿勢に胸打たれました。私もそんな人になりたいと思いつつ日頃のあれやこれやに流されて来週こそはと思いつつ結局その日以降一度きりになってしまいました。

無言宣伝は永遠に前を走るマラソンランナーのような追いつくことの出来ない憧れの存在。

白梅町駅前に10年の歴史不屈の姿あり。

遺志をつぐ者として

高橋　冬彦

おそらくそれ以前から顔は知っていたと思うが「出会い」として印象があるのは、どこかの中学校での演説会。最初に京都市長に挑戦された時だと思う。１９９５年、私が勤めていた夜間定時制高校の募集停止が発表され、生徒父母らと一緒になって募集停止撤回の運動をしていた時だ。生徒たちは傷ついていた。本人は何も悪くない。一所懸命、夜の学校で、自分の未来をひろげるため、仕事をしながら学んでいた。その学校がなくなっていくのだ。今いる生徒が卒業すれば学校がなくなる。そんな思いをお話したところ、吉郎さんは話を聞いてくれ「あなたの話は筋が通っている。頑張ってください」と励ましてくれて、固い握手をしてくれた。市長選の結果は残念だったが大いに追い詰めることができた。募集停止の撤回はされなかったが、定時制高校への配慮をひきだすこともできたと思う。後日、私の自宅の物干し台から、失対事業の人々に交じって児童公園の掃除で働く吉郎さんの姿を見た。市長浪人のときだと思う。

　無言宣伝のことは知っていたが、月曜朝は生協の荷物が来るので参加できなかった。正月にも行われていることを知り参加した。昔馴染みがいっぱいいた。驚いたことに昔聞いていたラジオのパーソナリティーまでいた。吉郎さんはもういないが、遺志を継ぐものとして、今後も参加

したいと思う。

清々しいターミナルの青空

（鳳徳学区在住／児童劇団やまびこ座／京都退職教職員の会）

寺元　廷美

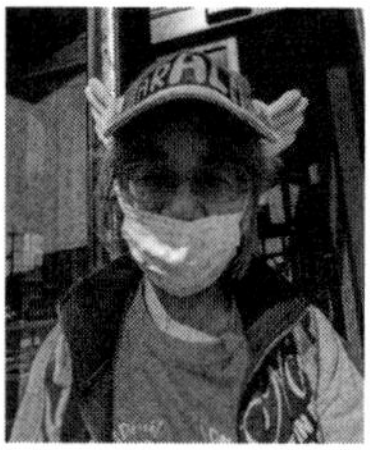

２０１５年、２０１６年と家族を失い（父、夫）、それまで介護などに費やしていた朝の時間がぽっかり空くようになった。

すでに吉郎さんの無言宣伝が白梅町で行われていることを知っていたので、２０１６年６月から折を見て参加しだした。

朝の白梅町は、通学、出勤の人、観光客でなかなか賑わう。コロナの時も、総数は減りこそすれ、全く人が途絶えるということはなかった。年金者や会社員、ミュージシャンなど多様な人が集まり、声をあげる。普段は無言だから、朝の挨拶をかるくする。

ここでの集まりとターミナルの青空は清々しく、いつも生活への元気をもらっている。少しずつ仲間が増え、私たちは微力だが、無力ではないとはっきり感ずるこの頃だ。

仕事や体調で毎回の参加は叶わないが、今後も時々は顔を出したい。戦争廃絶！私たちをちゃんと見てくれる政権を勝ち取ろう。

わが家の前で無言宣伝

長尾　淳三

私の無言宣伝の場は、自宅の一部を改造した街角ギャラリーです。「コロナのストレス生活に一片の安らぎを」との趣旨で、三年半前から、わが街の文化・自然を紹介した絵はがきや、春には庭の花を配布しています。注目を集めるための戦術の工夫は、絵はがきを畳の大きさに拡大して展示した点です。そして「社会が良くなるには、心の健康維持と理性の声が必要」と呼びかけています。

井上さんは、言語障害という困難な条件下でも最大限奮励努力する姿を見せることで、市民とつながりました。「つながってこそ、伝えられる」ことを私なりに受け継ぎ、コロナ生活での不安解消に直接役立つことを通じて市民とつながろうとしたつもりです。

井上さんとは、1999年の12月に、翌年の京都市長選挙を前に、東大阪市の市長室で対談したのが初対面でした。以来、肝胆相照らす仲となり、年に数度会うのが楽しみでした。

30年に一度訪れる時代の変革期ですが、ＩＴを活用した世論誘

愛と街角ギャラリーにて

導も大掛かりに進められています。「微力かもしれないが無力ではない」を確信にして、「意思を表明する戦術」を工夫した井上さんを思い起こしています。私なりに、喜び、怒り、つながる人間の心の大切さを社会に呼びかけ続けるつもりです。

（元東大阪市長）

悪政をただす鍵

中塚　智彦

みなさまこんにちは。京都市中京区で食堂わたつねを経営（3代目）しています中塚智彦と申します。無言宣伝10周年に敬意を称し寄稿させていただきます。仕事で毎週月曜日早朝の行動には参加できませんが、休日である日のお昼の「無言ではいられない宣伝」に数年前から参加させていただいてます。京丹後市宇川での日米両軍事基地建設、合同運用に反対の思いを軸にアピールしています。

こんな不束な飛び込み者のわたしに「中塚さん！」と毎回必ず声をかけてくださり、ご自身の冊子などを手渡してくださる方がまさに生前の井上吉郎さんでした。毎回あたたかい眼差しで包み込んでくださるような空気感。街頭行動の大切さをあらためて自身に刻んでゆきました。そして、それは次世代の自身が街頭行動を立ち上げる力になりました。徹底を尽くした議論、検証、反省をなし崩し、数々の悪法や制度を強行採決や閣議決定を推し進めている現政権とそこにぶら下がってる勢力をもうこれ以上許すことはできません。

悪い事を正すための鍵でもとくに重要なのは街頭宣伝（行動）であると思います。
北野白梅町無言宣伝は吉郎さん亡き現在もあたたかいメンバーがひきつがれておられます。みなさん本当に優しい方々で大変お世話になっております、いつもありがとうございます。街頭からみんなで声をあげていきましょう。

（食堂わたつね店主）

抗いつづけ歌いつづける

長野たかし・森川あやこ

フォークシンガーの長野たかしと、妻のあやこです。亀岡の山奥から、仕事のある時や雨の日以外は、「無言ではいられない」に出来るだけ参加させて頂いております。

プロテストソングを歌い、それを生業にしている私たちにとって、同じ思いで集まっている人たちの中にいるのは、ホッとし、とても勇気づけられる一時間です。そして毎週月曜日「無言宣伝」行動をされ続けて来た人たちには、いつも頭が下がる思いです。

私たちの役目は、歌うこと。歌は一曲約４分掛かります。当初、コメントを入れ歌おうとしましたが、与えられた時間内では収まらない事や、市民にとって大切な、多くの問題提起をしようとしている人の時間を奪ってしまうのではないかと気付きました。それに、足早に横切る人の耳に歌はなかなか届かないことも知っていますので、少しでも看板や横断幕に目が

向くよう、歌うことに努めています。そして、参加している人たちへの応援歌としても曲を選んでおります。

権力に抗うことはとてもエネルギーのいることです。市長選に3回も挑戦し続け、車椅子生活になっても「無言宣伝」というスタイルで、抗うことへのハードルを下げ、無言であっても、もの申すことができると教えて下さった井上吉郎さんに感謝いたします。

自由、平和、平等、人権を守り、そして、一人一人の尊厳を大切にした民主主義を作り上げるために、ご一緒いたしましょう。

いつも「おかえりなさい」

西嶋　明子

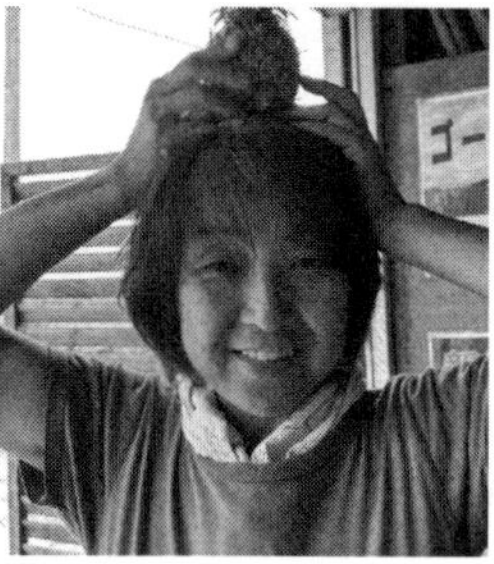

吉郎さんに初めてお会いしたのは2016年。初めて京都駅前での反原発スタンディングに参加して、そこに来ていた人達に「無言宣伝」を紹介してもらった。
朝が早かったので小さかった息子は自宅に置いていった。当時はいつも息子と一緒にいたので何時間も家に置いておくというのは、ニューヨークに住んでいる私にとってかなりの冒険だった。ちょうど沖縄の旅から戻ったところで、どうしても参加しなければという気持ちだった。選挙が終わった翌日に機動隊が高江で住民の抗議テントを襲撃した直後だった。偶然その日に高江に居合わせた私は、特に何もできなかったがとてもショックを受けた。今から思えばそれが私にとっ

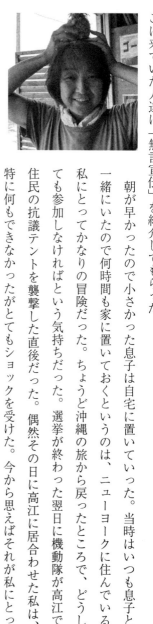

て沖縄に関わるきっかけとなった。

無言宣伝では皆さんが暖かく迎えてくれ、私の拙い沖縄報告に耳を傾けてくれた。後に与那国島に引っ越されて今は平和交流おこしに関わっておられる山田和幸さんもおられた。２０１６年といえば与那国島に陸上自衛隊駐屯地が建設された年。こうやって思い出していくと、いろんな出来事が知らないうちに絡み合っていることに気づく。

吉郎さんがたった一人で無言宣伝を始めたのは特定秘密保護法が強行採決されたとき。居ても立ってもいられなかったのだろう。「もう可決したのに」「そんなことをしても役に立たない」と私もよく言われるがそんなことで気持ちは変わらない。吉郎さんが始めた無言宣言が彼の亡き後も変わることなく引き継がれているのが励みである。私が行くといつも「おかえりなさい」と言ってくれた吉郎さん。迷いが出た時にその言葉と笑顔を思い出してみる。

（現在、ニューヨーク在住）

僕らは微力であっても無力ではない

浜田　良之

脳梗塞で倒れ、右手右足、話すのも不自由な体になった井上吉郎さんが、特定秘密保護法成立をきっかけに、２０１３年12月から北野白梅町で一人で開始された「無言宣伝」が、賛同者が広がり、10年間も休みなく続けられていたことに、心から敬意を表します。
今では､毎週月曜日早朝の「無言宣伝」は､北野白梅町の風物詩とも言えるほど､定着しています。「継続は力」

ということを痛感させられます。私自身は、月曜日は毎週、北大路タウン前で早朝宣伝を続けているので、月曜日早朝の「無言宣伝」には参加できませんが、月曜日が祝日の時に昼休みに行われる「無言ではいられない宣伝」には、可能な限り参加して、スピーチをさせていただいています。

6年前のことになりますが、自民、公明、維新3党による衆院法務委員会での「共謀罪」法案強行採決から3日後の「無言宣伝」の様子を、京都民報が掲載しました。その記事の中で紹介された井上吉郎さんの言葉が、印象に残っています。

「宣伝を始めて4年足らずの間に、武器輸出三原則は緩和され、集団的自衛権行使容認で安保法制は成立した。戦後70年、あっという間に平和憲法の根幹が揺らいでいる。そして、安倍首相の期限を区切った改憲実行宣言。慄然とする。政権側が総力を挙げて『戦争する国づくり』へ向かっている時、僕らがバラバラでいいのか。沖縄がオール沖縄で団結したように、オール日本で共謀罪阻止へ。僕らは微力であっても無力ではない」

今、岸田政権が、敵基地攻撃能力の保有と大軍拡によって、「戦争する国づくり」へと突き進んでいるもとで、井上吉郎さんの遺志を受け継いで、反戦・平和を願うすべての人たちの力を集めて、岸田政権の暴走にストップをかけなければならないと、決意を新たにしています。

（日本共産党京都府議会議員）

活動の名プロデューサー・井上吉郎さん！

藤本　忠正

今も月曜日の朝、井上吉郎さんは私の傍にいます。横断幕やたれ幕を書く時も、「無言ではいられない」宣伝をする時も。

「ゴリパパ」として参加してから、吉郎さんのブックレット7冊の装丁とイラストをかかせていただきました。「藤本君の絵手紙のスタイルがええねん！」「無言ではいられないは音楽が必要やねェ」なぞとおだてられるとすぐに乗ってしまう。おかげで最近「絵手紙教室」の10人の方の「ヘタでええやんか絵手紙展」をご近所の喫茶店（さの字）で2週間もさせていただき100名を超える人たちが来てくれました。

無言宣伝に参加する人たちは、知らず知らずのうちにお互いに影響しながら新しい活動を編み出しています。無言宣伝のさらなる発展を願って。

（衣笠・金閣九条の会）

二人の井上さん

細川　孝

ネットで検索すると、「井上」という名字は日本で16番目に多い。わたしの身近なところにも井上を名乗る方は多いが、ここ数年、コロナ禍前からわたしにとっての「井上さん」は、井上吉郎と井上ひさしのお二人であった。ひさしさんとは書物を通してのご縁でしかないが、吉郎さんは「ご近所さん」（歩いて10分とかからない）としてお付き合いいただいた。

吉郎さんは京都市長候補として大奮闘されたことをよく覚えている。最初の選挙（１９９３年）の頃のわたしは大学院生だった。民主市政の会の取り組みなどに参加した。その後の選挙（１９９６年、２０００年）でも井上市政の実現を願った。

２０００年8月から京都市北区に住むようになった。そして、２００５年５月から地元の九条の会に参加させていただくようになった。しかし、この頃には吉郎さんとの接点はなかったように思う。吉郎さんと身近に接するようになったのは、最初はおっかなびっくりで参加した「無言宣伝」の場においてであった。

吉郎さんを通じて導かれたのが、「井上ひさしの世界」あった。２０２０年4月12日に予定していた没後10年の催し（小森陽一「井上ひさしと憲法九条―没後10年にあたって」の講演と映画「父と暮らせば」の上映）

はかなわなかったが、本郷宏幸さんを含め3人の読書会が待っていた。

二人の井上さんとの出会いは、わたしの人生にとってリセットの機会をいただいたように思う。感謝、そして合掌。

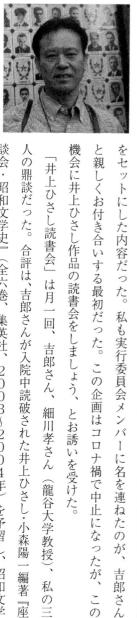

（衣笠・金閣九条の会）

井上ひさし読書会のこと

本郷　宏幸

2020年4月に開催すべく、「井上ひさし没後10年／講演と映画でのぞくひさしワールド」が井上吉郎さんの発案で企画された。催しは井上ひさしに縁のある小森陽一さんの講演とひさし原作の映画「父と暮らせば」をセットにした内容だった。私も実行委員会メンバーに名を連ねたのが、吉郎さんと親しくお付き合いする最初だった。この企画はコロナ禍で中止になったが、この機会に井上ひさし作品の読書会をしましょう、とお誘いを受けた。

「井上ひさし読書会」は月一回、吉郎さん、細川孝さん（龍谷大学教授）、私の三人の鼎談だった。合評は、吉郎さんが入院中読破された井上ひさし・小森陽一編著『座談会・昭和文学史』（全六巻、集英社、2003～2004年）を予習し、昭和文学史のアウトラインとひさしの近現代文学論を探るところからはじまった。そして毎月一冊、ひさし自身の小説、戯曲、社会的発言の著作やエッセイ集を取りあげていった。鼎談ではひさしの作品ばかりでなく、ひさしの両親の井上修吉と井上マス、井上ユリ夫人、義姉米原万里さんや米原昶氏などひさしの縁者について話題がひろがり、さらにその話題は興味深いよもやま話に膨らむのが常だった。こうなると「井上ひさし読書会」はいつしか「井上吉郎ワールド」に衣替えする。吉郎さんは交友した錚々たる文化人や著名な人びとの裏話も披露され、それがまた愉しみだった。その時、吉郎さんは「無言宣伝」の〝無言〟とは裏腹に〝饒舌〟だった。聴いていても心地よい饒舌さだった。

「無言宣伝」は障がい者になられた吉郎さんの社会運動家（アクティヴィスト）としての面目躍如、お仲間が今も引き継いでおられる。私はといえば、約三年にわたった「井上吉郎ワールド」の饒舌を思い返し、今でもFacebookに挙げられた書評や投稿の数々、数冊のブックレットを無言でかみしめている。

（元労金労働者）

月曜日の朝はここで

蒔田　直子

一週間が始まる月曜日の朝、ブルーマンディという言葉があったけれど、もう少しベッドの中にいたい。そんな月曜日の朝の街角に立って「無言宣伝」するなんて。朝はぼーっと怠け者の私にはたった一度でも難しい。それを、毎週、毎週、10年にもわたって続けるなんて。

今年の夏の暑さは、とても厳しかった。今出川通りのドン付き、白梅町の朝の路上は陰ひとつなく、日差しが照り付けてクラクラしそうだった。雨の日も真冬の雪の朝でも、そこに立つ人がいて、「無言宣伝」というけれど、そこにやってくる人たちは陽気で、そして無言ではなくにぎやかで、ブルーマンディの朝を吹き飛ばす楽しさがあふれている。大好きな友人たち、尊敬するひとびと。わたしは、「夕方だったらいくのにな…」などと、ごくたまにしか顔も出さないけど、ごめんなさい。誰でもいつでもたまにでも、迎えられ一緒に立つことができる場所がそこにある。

10年前、井上吉郎さんがこの街かどに車椅子で、たった一人で平和を求めるメッセージを掲げた。ひとりで、無言で、そこにいて、そこからしか始まらず、そのように歩いていこうと。呼びかけなくてもそこに集った人たちが10年の時を越えても、とてもじっとしては居られない、じぶんができることをしていこうと、毎週続いている「無言宣伝」の月曜日。

ここから始まる一週間は、うつむいてはいられない、前を向ける一週間にちがいない。

毎週、ここで会おうという約束

松中みどり

無言宣伝10周年に、心から敬意を表します。どんなに暑い日も、寒い日も、毎週月曜の朝には仲間が集まる。最初は井上吉郎さんおひとりだった活動が、今では10人、時には20人以上も集まるのですね。素晴らしいです。吉郎さんの最初の思いの通りに、無言で立つのでかまわない。ポスターに言葉を紡ぎたい人はそれでもいい。歌ってもよし、にぎやかにアピールしてもよし。ただ、月曜日にそこに行けば、必ず居るよと、ここで会おうという約束だけがゆるがない。そんな10年の働きに、ほんの数回お邪魔しただけの私です。それでも、敬愛する人たちがそこに居ることが分かっているから、行けなくてもつながっている気がしていました。

私は毎週水曜日、路上生活をしている人たちにお弁当を届けています。1週間のうちのたった一食分のご飯。路上で眠る人にとって、たいした助けになっていないけれど、水曜日になれば、必ずやってくる人がいるなあと思ってもらえたらそれでいい。そんな活動です。挨拶とちょっとしたおしゃべり以外、立派な言葉はないけれど、出来るだけ明るい元気な色になるように工夫して作るお弁当が、しんどい人の心に小さな灯りがともるように祈っています。また来週、年末だってお正月だって水曜日にはお弁当があるよ、毎週、ここで会おうという約束は、ちょっとだけ無言宣伝に通じるかなと思っています。

小さなつながりの大きな広がり

まつみよーこ

キッカケは何だったか忘れてしまいましたが、もうどれくらい経つでしょうか。一週間の始まりにこの場所を訪れるのが楽しみとなりました。
吉郎さんのことはよく知らない私でしたが、いつもおおらかな心で迎えてくださいました。そのお気持ちが「無言宣伝」には行き渡っているのだと感じます。
そして、どなたかの知り合いが「おはよう」と挨拶をしていかれます。その人達ともいつの間にか、おはようございますと顔見知りに。輪が広がるってこういう時間の積み重ねですね。先日は横に並んで立ち話をしていたご婦人が居られて、その方も「昔は平和を訴えてこうやって立っていたことがあります」と、話されていました。「懐かしいわぁ」と。

こうして「無言」と言いながら小さな繋がりが広がっていきます。何の縛りもなく集まる月曜日の朝ですが、積み重ねることの大切さを学ばせて頂いています。

年に数回の「祝日の月曜日」はお楽しみ。「無言ではいられない！」という集いになります。参加している人達が自分の思い思いを訴えます。遠い沖縄のこと、日本の平和、日本のあちこちで基地や弾薬庫が作られようとしている事、自衛隊のことや、色々。そして福島原発の汚染水問題。一体この国はどうなるのか?という思いです。道ゆく人はどんな気持ちでしょうか。その後、ギターを鳴らし歌が始まります。みんなの手拍子、その場が華やぎます。そんな様子を楽しむように昨年亡くなられた吉郎さんの大きなパネルがいつもの場所にあります。

吉郎さんの無言宣伝はこれからも続きます。白梅町は便利な場所なので12時から始まる祝日の月曜日、ふらりと立ち寄ってくださると嬉しいです。

平和のバトン

松元　ヒロ

無言宣伝10周年、おめでとうございます。10年ひと昔と言いますが、10年間、毎週月曜日の朝、駅頭に立ち続けてきた皆さまに敬意を表し、心からの拍手を！

無言宣伝はあの井上吉郎さんが！　しかも車イスで先頭に立って始められ、沢山の仲間が一緒に、それも

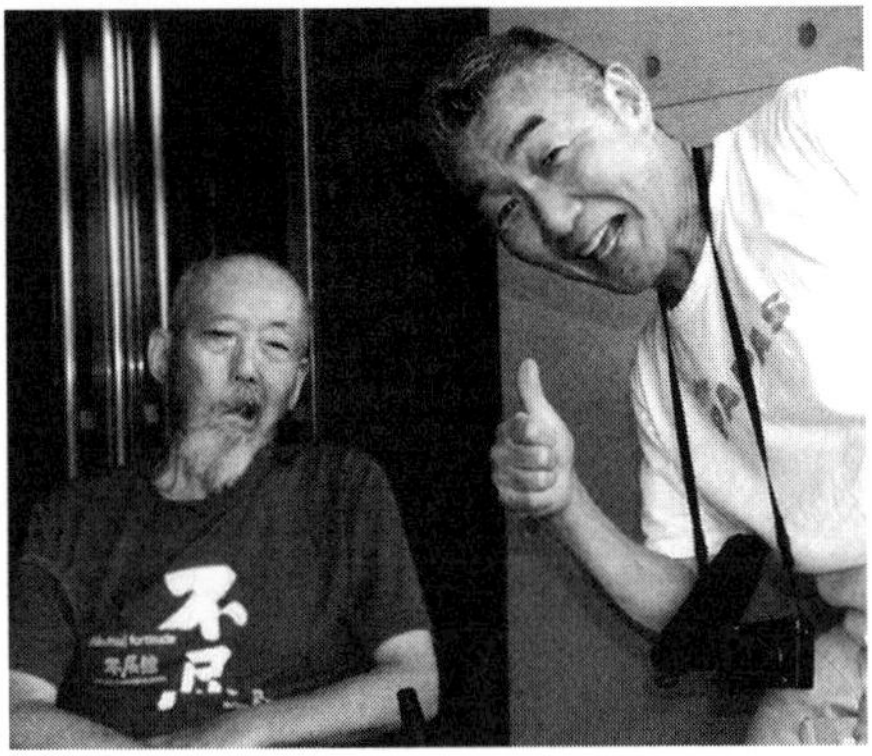

毎週！　昨年、天国に旅立たれた吉郎さんがパネルになって今でも皆さんと一緒に毎週月曜日駅頭に。その平和への想いは無言だからこそ、強く深く人々の心に伝わります。私も平和への思いを込めたネタが多くなりました。実は……吉郎さんが２０１５年から毎年、福祉広場で私のソロライブを主催してくださるようになりました。毎年、毎年……そして昨年8月21日、素さんに「井上は入院中ですが」と言われ、いつも観てくださる吉郎さんが客席にはいらっしゃらないけど熱のこもった舞台が出来ました。終わって控室の2階に上がると「実は、井上は今朝、息を引き取り病院からここへ。ヒロさんのライブをこの2階から聴いていましたよ」と……素さんのお心遣いと吉郎さんへの想いに胸が熱くなりました。客席で観てくださっていた、吉郎さんと懇意の穀田恵二さんと二人で吉郎さんに最後のご挨拶をする事も出来ました。あれから一年、今年もステージのあと、パネルの吉郎さんと一緒に笑顔の集合写真を撮ることができました。「吉郎さん！　平和へのバトンは私たちが引き継ぎますからご安心を」。

（芸人）

平和・人権・民主主義

矢木小夜子

吉郎さんと久しぶりに話したのは、２０２１年９月の嵐電白梅町駅前の朝でした。

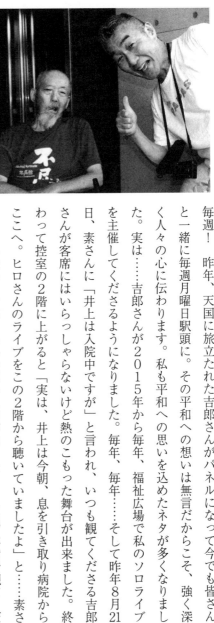

私と夫・高志は2001年に京都から暖かい沖縄に引っ越しました。薬害スモン被害者である夫には少しでも身体に楽になるのでは、と話し合いました。引っ越し前に吉郎さん、素さんから送別の食事会に招いていただき歓談して以来でした。

六年後、夫の独居の母の高齢化に伴い、沖縄から金沢に。そして2020年正月明けに膵臓癌で余命6カ月の宣告。「京都で命を閉じたい」との夫の希望で、3月に京都に戻り、7月に見送りました。

1年少し経ち、最後に2人で行った嵐山の福田美術館周辺の散歩を思い立ち、嵐電白梅町に。そこには車椅子の吉郎さんが行き交う人たちと街の動きに視線を向けながら、8時からの宣伝にスタンバイ。障害者になった吉郎さんと話すのは初めてだった。「お久しぶりです」と言った時点で涙がぽろぽろ落ちてきました。高志の死は知っておられて、泣きながら続ける私の話を、頷きながら聞いていただきました。

大胆と繊細、鋭さと優しさの吉郎さんは、国内外の不条理を敏感に受け止めながら、幅広い人たちを巻き込み市民運動へと発展させるために尽力されてきました。

「どこで生きていようと平和・人権・民主主義が保障される世に」私も微力であっても歩んでいきたいと思います。

吉郎さん、ありがとうございました。今後とも、よろしくお願いいたします。

月曜日の朝

八尋きよ子

2015年8月30日の国会議事堂前の大集会の後から参加した無言宣伝の朝、何時の日からかゴリちゃんが私の車の助手席に座って、京都に不在の時以外は必ず参加し一週間の始まりです。

この8年間何が変わったか、最悪と思っていた安倍政治から更にひどくなった岸田政権、いとも簡単に政治が変えられてゆく。何故こんなことが許されるのか。

吉郎さんに海外では何十万の人たちが毎日デモに出る、何故日本で一揆が起きないのだろうと聞いた時、あなたがしたら良いと言われました。えぇーっ私にそんな力ない。

吉郎さんが亡くなり一年が過ぎても悶々とした気持ちは続いています。今、月曜日の朝吉郎さんを迎えにひろばへ。おはようございますと声かけながらドアを開け吉郎さんと一緒に嵐電駅前へ向かいます。なにか一歩踏み出せたらなと思いながら～

無言宣伝10年のこれから

山本　道子

井上吉郎さん、ありがとうございました。吉郎さんの事は絶対忘れません！　井上吉郎さんの無言宣伝に参加するようになって、毎週月曜の朝は楽しみの朝となっています。吉郎さんがひとりで始めた無言宣伝は２０１３年11月末だから今年（２０２３年）で丸10年‼

今や無言宣伝のマスコットとなったぬいぐるみのゴリちゃんも雨の日にはカッパ被っての参加です。いつも吉郎さんの横に座っていたので、吉郎さんも「ゴリちゃん、かわいいなあ～！」と笑って言ってましたね。

その吉郎さんは昨年（２０２２年）亡くなりました。入院は何度かされてましたがまさか…本当に辛くて信じられませんでした。そして「お別れの会」の時、私はコロナに感染、お見送りできなくて悔やみます。きちんとお礼が言いたかったです。

吉郎さんには、第二土曜日に『憲法カフェ』と言って、その時勢の問題、たとえば日米地位協定の冊子などを用意してくれて、先ずは読み合わせして、吉郎さんが講師みたいに話され、私たちにも質問したりしてそれなりに「知は力」になりましたが、一緒にあの貴重な時間を過ごし、もっと学びたかったです。吉郎さんは本当に本を読まれる人でした。もっともっと色んな話も聞きたかったたし、話したかったです。

ある日、吉郎さんが頼みたい本があるからと家に伺った時、リビングのテーブルの上に缶ビールが置いてありました。「みっちゃん、飲んでや」と。吉郎さんはこんな人でした（涙）

これからも吉郎さんの意志を継ぎ、無言宣伝仲間と続けていきます。

微力ながら井上さんの遺志を継いで

和田　三郎

私は若い頃、寺前巌衆議院議員の地元秘書をしており、当時議員が農林水産委員をしていたので、井上さんがおられた京都府農業会議事務局には議員とちょくちょく寄せて頂き、その頃からの知り合いでした。３

回の京都市長選挙も微力ながら応援させて頂きました。しかし特に親しくさせて頂くようになったのは、「特定機密保護法」反対で彼が北野白梅町で毎週月曜日に無言宣伝をするようになって以降です。彼は脳梗塞で障害者になって車椅子で、言語障害にもなっていました。

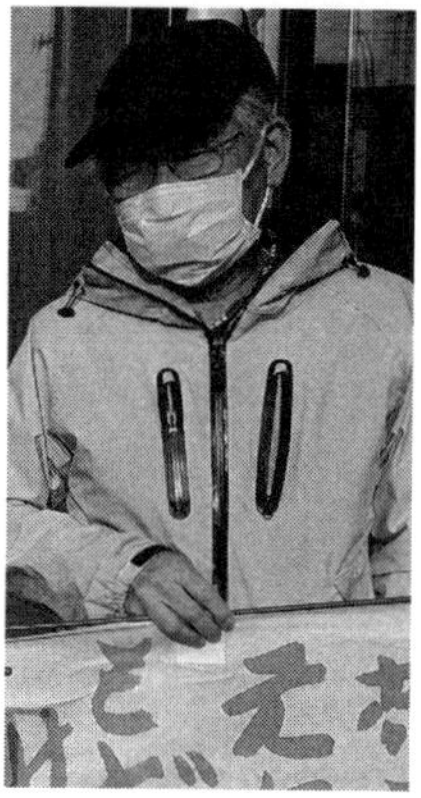

尾崎望さんが立候補した知事選挙の頃、最初は井上さん一人でポツンと白梅町駅前にプラカードを持って車椅子に座っているのを見かけるようになりました。「微力であるが無力ではない」を信念にする彼の姿に共感して行動を共にする仲間が増えていきました。私もその一人です。

今、日本政府はロシアのウクライナ侵略や「台湾有事」、北朝鮮のミサイル発射などで国民の不安を煽り、敵基地攻撃能力の保有など、専守防衛の憲法の基本原則を投げ捨てて、アメリカの戦争戦略の道に突き進もうとしています。決して「新たな戦前」をもたらしてはなりません。

井上さんは亡くなりましたが、月曜日の白梅町無言宣伝は微力ながらも続けていきたいと思っています。

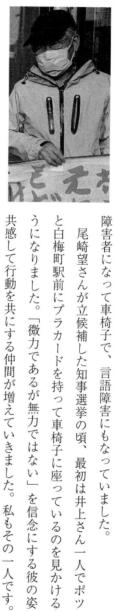

「無言宣伝」によせられた ハガキメッセージ

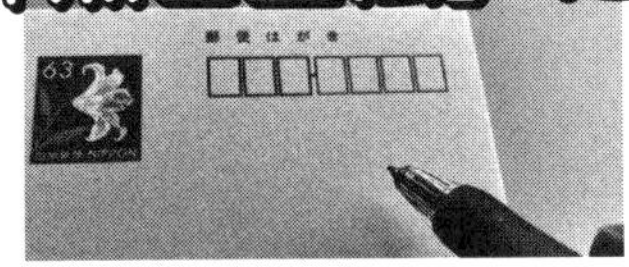

選挙で負けても、自らを「市長浪人」と称して市議会傍聴を続ける。障害を得ても「無言宣伝」を始める。思い立ったら、一人でもまず行動。元祖・市民運動家、井上吉郎さんの真骨頂です。あの相模原のいまわしい事件が起こったときも、「僕は〝生と死の線引き〟に反対です」と自著で喝破し、どんな状況に置かれても、〝納得できる生〟を求めてたたかい続けた吉郎さんの生き方に、これからも学んでいきたいです。

渡辺 和俊

大病を患われ、大変な後遺症を抱えながらも生きること、闘うことを諦めず前向きな姿勢は、みんなを励ましました。「先に逝った人」「近代の京都を創った人たち」「人生の伴走者」も学ばせて貰いました。「無言宣伝」の創始者井上さんの思いはつながっています。これからもつながっていきます。

A

井上さん　始められて 10 年　今後も 10 年〜20 年続けていって下さる事願います。
無言というのがいいです。　**太秦蜂岡町　久彬**

ロンドンのハイド・パークには、さまざまな人たちが毎日自説を主張している場所 があるとイギリス政治史の先生から聞いたことがあります。若きマルクスやレーニン、ジョージ・オーウェルなども続々登場。民主主義は、主体的な「個人」の形成と「市民参加」「自治」によって成熟する。

京都·北野の「無言宣伝」には「声」はない。けれど強い「意思」があり「主張」があります。井上吉郎さんの魂のバトンをリレーする研ぎ澄まされた「言葉」はこころ にひびくのです。

「微力かもしれないが、無力ではない」。歴史は一人の行動から始まり、人が多く通ることで道は拓ける。毎週月曜朝の「無言宣伝」は、小さくて大きなたしかな歴史を刻んでいる、と思います。　**薗部英夫（全国障害者問題研究会副委員長・日本障害者協議会副代表）**

あとがき

「無言宣伝」が始まり、２０１７年5月に5周年を記念して冊子が発行され、あれから5年経ち、今回「無言宣伝10周年」を発行することができました。

今回は、小森陽一さんから「井上吉郎さんとは、あらゆる意味での言語活動の同志だと、私は確信している」、窪島誠一郎さんから「筆者も……多病の身である。自分もまた井上吉郎さんのように『生きる証』と言い切れる何ものかを残して死んでゆけたらと希っているのである、駒込武さんから「井上吉郎さんの遺してくれた文章との『無言の対話』をこれからも続けたいと思う」、と、３人の方から暖かいメッセージを寄せていただきました。井上吉郎さんの足跡が全国的に注目され、共感を広げていることがよくわかりました。

「北野白梅町駅頭から」には、２０１７年から２０２２年7月までの井上吉郎さんが毎週の「無言宣伝」の日に投稿されたフェイスブックの文章を再掲しています。改めて読み直してみて、その時々の政治と出来事の見方がよくわかります。井上吉郎さんの温かく鋭い眼光を思い返されます。

「参加者からの声」は、5周年の時の25人から35人へと増えました。5年間で「無言宣伝」に参加し、関わる方が増えていることを示しているのではないでしょうか。

私たちは微力かもしれないが無力ではない――さらに15周年へと「無言宣伝」の輪が広がることを祈って。

「無言宣伝」10周年編集実行委員長　井坂　博文

京都・北野白梅町駅前 無言宣伝10周年

2024年5月3日　　初版第1刷発行

編　者　無言宣伝
発行者　竹村　正治
発行所　株式会社ウインかもがわ
〒602-8119　京都市上京区出水通堀川西入亀屋町321
電話075（432）3455　FAX075（432）2869
発売元　株式会社かもがわ出版
〒602-8119　京都市上京区出水通堀川西入亀屋町321
電話075（432）2868　FAX075（432）2869
振替01010-5-12436
印刷所　新日本プロセス株式会社

ISBN978-4-909880-49-9　C0036